沢里裕二

処女刑事
新宿ラストソング

実業之日本社

目次

第一章　夜空の星

1

その夜の歌舞伎町の空には久しぶりに星が瞬いていた。梅雨の合間のほんの一瞬の晴れ間。そんな感じだ。

「歌舞伎町はこうじゃなきゃね」

石橋茉優は星に向かって呟いた。いまばかりは心の暗雲も取り払われたかのようだった。

本当に、本当に、煌びやかな夜空だ。

茉優自身も、芸能人としてあんなふうに輝くはずだった。

芸能界入りのきっかけは三年前。

青春映画のヒロイン募集に応募したことだ。服飾専門学校に通っていた二十歳のときだった。

残念ながらヒロインには選ばれなかったけど、ヒロインを取り囲む数人の友人役のひとりに抜擢された。

監督ではなく、たまたまその映画を担当していた外部のキャスティングプロデューサーが気にいってくれたのだ。漠然と有名人になることに憧れていた茉優は舞い上がった。

所属事務所もないまま、映画会社の俳優部預かりということで、撮影に臨むことになった。

台詞は準備稿では合計十五か所もあったので大喜びしたけど、読み合わせやリハーサルの最中にシーンがいくつもカットされ、第二稿では十か所になっていた。滑舌（活舌）の悪さを監督から何度も指摘されていたのだ。

完璧主義の監督なのだと思っていたが、滑舌と指摘したのは実は監督の優しさだった。

茉優は東北の生まれで、訛りが抜けていなかったのだ。特に『かきくけこ』や『たちつてと』に濁音をつけてしまう癖があった。

たとえば靴下は『くづしだ』で、あんたは『あんだ』だ。もちろん、訛りが抜けていないわけではない。だがどこか微妙に出てしまうところはあったのだろう。周りの同年代の役者は陰で笑っていたに違いない。

茉優は自費でヴォイストレーニングのスクールに通い懸命に訛りを矯正したが一朝一夕にどうなるものでもなかった。

同じくヒロインを取り巻く役についた他の役者たちは、全員すでに芸能事務所に所属していた。

彼ら彼女らは、茉優同様無名ではあったが、台本を読み込む勘の良さは、茉優の比ではなかった。

そこに書いてあるある台詞を丸暗記してくるのが精一杯の茉優に対して、他の子たちは、監督に求められると、その都度感情移入を変えた言い方が出来るのだ。

リハーサルを重ねるたびに、どんどん惨めな気分になった。

クランクイン直前に渡された決定稿では二シーン七か所になっていた。

もともと茉優が言うはずだった台詞のいくつかが、他の役者に振り替えられていることを知り、トイレに駆け込み思い切り泣いたのを今でもはっきり覚えている。

悔しくて、悔しくて、目を腫らしたまま現場にいくと、監督に『それでも役者かっ』と怒鳴り飛ばされた。

その瞬間、茉優は不思議な高揚感に取り付かれた。

『それでも役者かっ』

とは、つまり役者として扱われているのだ。傷つけられたが全否定はされていない。そのことに気付くと、猛然と勇気が湧いてきた。

必死で笑顔を作り、懸命に台詞を喋り、何度もNGを出されたが、最後は『OKっ。上出来っ。グッド！』と監督がサムアップしてくれた。

たった一日の出番でも『石橋茉優さん、本日で上がりでーす』と助監督から花束を渡され、その場にいたキャスト、スタッフ一同から拍手されたときにはごく自然に涙が溢れていた。茉優が一生この仕事を続けたいと思った瞬間だ。

ところが女神は簡単に微笑まない。

一か月後にゼロ号試写の連絡を貰い、JR五反田駅に近い国内最大とされる現像所の試写室にいそいそと向かった。出演者や関係者だけが入れる試写会とあり、なんだか自分が特権階級に入れた気分になったものだ。

けれども、試写室ががらんとしていることにまず驚いた。さほど広くない試写室に関係者らしい人が何人か座っているだけだ。

茉優としては、試写会というのはもっと盛大なものだと期待していたので、肩透かしをくらった気分だった。

後になって、ゼロ号試写は日に何度も上映され、関係者はバラバラにやってくるのが普通で、マスコミを呼ぶいわゆる完成披露試写というのが別にあると知るのだが、このときは、自分の仕事が所詮は数多ある映画作品の中で片隅にある一作でしかないことを思い知った気分だった。

上映が終了し、落胆はさらに増していた。

二時間十五分の作品の中で、茉優が映っていたのは約七秒。

台詞は、

『美佐子は、自分のやりたいことに気づいていないだけだわ』

の一言だけだった。

それもアップではない。

ヒロインの連城緋沙子の肩越しに映っていただけだ。彼女こそオーディションでヒロインの座を射止めたシンデレラガールだ。

この映画『東京恋愛事情』は、連城緋沙子を大々的に売り出すために作られたような内容だったが、それでも他の友人役たちはもっと出番が多く、台詞もふんだんにあった。

強姦されてそのまま放置されたような気分だった。

座席から立ち上がることも出来ず、嗚咽を堪えていた。

トイレに駆け込み声を張り上げて泣きたかったが、立ち上がる気力すらなくハンカチで目頭を押さえた。

ハンカチはすぐに温かくなり、ぐっしょりと濡れた。

芸能界は私をいらないといっているのか？

それならそうとはっきり言ってくれればいい。

これではエキストラとほとんど変わらない扱いで、誰でも務まる役ではないか。

勝手に夢を見て、傷つくぐらいなら、この世界になど触れないほうがよかったと、ぼろぼろに化粧が剝がれていく顔を抑えながら、声を堪えて泣いた。

「あのワンカット、残るといいわね」

不意に背後から女性の声がした。

上品で優しげな声だった。茉優は振り向くのが怖かった。見せられるような顔ではないのだ。

「たった一本の映画、それもワンカットだけの登場で嬉し泣きしているって、あんたまだ素人気分が抜けていないんじゃない？」

　溺れている犬に石を投げつけてくるような罵声だ。さすがに振り向いた。

「嬉し泣きなんかじゃないですよ。あのカットって、ここからさらにカットされるんですかっ」

　泣いているどころではなくなった。

「これゼロ号試写でしょ。しかも二時間十五分もある。興行部とか宣伝部は二時間以内に収めて欲しいって言ってくるでしょうね。そしたらあのシーンは危ない。カットしても話は繋(つな)がるから」

　黒髪のロングヘアー。小豆色のパンツスーツに本革のトートバッグを肩から下げた女が、スロープ状の通路をこちらに降りてきながら言っている。

「そしたら、私、この映画に出演していないことになっちゃうじゃないですかっ」

　マスカラが流れて黒い涙になっているのも忘れて、茉優は女に訴えた。相手が誰であるかも知らなかったが、とにかく叫びたかった。

「そんなのよくあることよ。大宝(だいほう)映画だから出演料(ギャラ)はちゃんと払ってくれる。だからその心配はないわ」

　女はあっけらかんとした顔だ。

「ギャラとか、そんなことじゃなくて、私のデビュー作が……」

わっと泣き出しそうになるのを懸命に堪えた。女は優しそうに笑った。

「まだ、完全にカットされるって決まったわけじゃないわよ。ただその可能性は高いってこと。覚悟はしておいた方がいいってこと。私、黒崎。こういうものよ」

クールビューティを絵にかいたような女が名刺を差し出してきた。

【株式会社アップルパイ・エージェンシー　マネージャー　黒崎加奈子】

「あっ、有名な俳優さんや歌手の人がいる事務所ですね」

一般人でも知っているレベルの芸能プロだった。

「石橋茉優さん、うちは大手とは言えないけれど、役者も歌手もわりときちんと育て上げているつもり。ちょっとラウンジでお話ししない？」

それが熱血マネージャー加奈子との出会いだった。

「あんな下手くそな演技なら、いっそカットされてなくなったほうがよくない？」

開口一番がそれだった。

「そんな……」

「百人中、九十九人が二年で振り落とされる。残ったひとりも三年目に成功するわけじゃない。せいぜい生き延びたというだけよ。オーディションに落ちても理由はわからない。後輩に引きの強い子が入ってくると、すぐに追い越される。自分はだめで、隣の子は人気がでる。そういう世界。あなた耐えられる？」

諦めた方がいいといわんばかりの内容だ。

「なんとなくわかります。今回もそうだったし」

茉優は落ち込んだ。所詮、何気に応募して最終審査まで残っただけなのだ。

「でも、そんなあなたに目をつけたキャスティングプロデューサーがいたのは事実ね。だからあなたは撮影に呼ばれた……」

はじめて加奈子が笑顔をみせた。つられて茉優も笑った。

「そうですね。私撮影に呼ばれただけなんですよね。まだ映画に出演したわけじゃない」

そういうことなのだ。

「撮影に呼ばれるまでの運は持っている。私はマネージャーとしてちょっとあなたが気になった。二年はやってみてもいいかもと芸能の神様が言っているのかも。どう、うちに所属してみる？　歩合は五分五分。家賃だけはうちが持ってあげる。芝居のレッスンはうちのスクールで無料。いまあげられる条件はそれぐらい」

「本当ですか？」

思わず泣き笑いになった。

おかげであの日からずっと泣き笑いの日々だ。

爽快と思える日はなかった。

『東京恋愛事情』の七秒の台詞付き場面はカットされずに採用された。たぶん、アップル所属となったからだろう。

だが、それから暗黒の日々が延々続く。

加奈子からは新人芸能人として修業していくうえで、いくつかの制限が出された。

【恋愛禁止。オナニー奨励】

恋愛は麻薬と同じで、脳を蝕(むしば)むからだそうだ。仕事より好きな人が出来た段階で、仕事に身が入らなくなる。けれども肉欲はだれにも止められない。

そんなときは、いつどこでも個室に飛びこんで自分で絶頂を得よ、ということだった。同性のマネージャーでなければ言えないことだろう。

【水商売バイト禁止】

これは媚(こ)びを売る癖が付くということだった。茉優は学費は親に出してもらっていたが、生活費はそれまでバイトで賄っていた。コンビニ店員だ。よしとされた。

【ライバルに嫉妬を抱かない】

茉優は最初、この意味が分からなかった。嫉妬はむしろエネルギーになるのではないか。そう考えていた。加奈子に言わせるとそれは歪(ゆが)んだエネルギーでしかなく、むしろマイナスに働くというのだ。

じきに茉優にもその意味が分かってきた。

最初の一年間、オーディションは全滅だった。落胆の日々が続く中で、徐々に胸底にどす黒い嫉妬が渦巻くようになりだした。

そうなると、誰かを妬む、恨むことばかりに熱中するようになりだすのだ。これは恋愛の逆バージョンのようなものだ。

恋に浮かれて仕事に手が付かなくなるのではなく、嫉妬に狂って、台詞が頭に入らなくなるのだ。

オーディションというものに疑問を持ったのもこの頃だ。

テレビドラマでも映画でも、主催者は本気で新人を探しているのではないと気が付いたのだ。

エクスキューズ。

テレビ局も映画会社も公平に選んでいますよ、というポーズを作っているだけなのだ。

実際、なんでわざわざオーディションを受けに来るのかといった名の知れた役者もやってくる。スタイリスト、ヘアメイクなど五人も六人ものスタッフを従えてオーディション会場へと乗り込んでくるのだ。

答えありきのオーディションなのだ。

もちろん、主役だけではなく、準主役、主要な脇役までをもオーディションで決定するというシステムの作品もある。

すでに決定しているのは、ベテラン脇役だけという作品だ。

ベテラン脇役はいわば匠(たくみ)の領域に入っている職人のような役者たちで、常に多数の作品を掛け持ちしている。従って企画の段階からスケジュールを押さえておかねばならないわけだ。

対して若手、しかも茉優たちのようにアイドル性が重視される役者たちは常に競わされる。

だがそんな脇役、端役でも、通ることが確約されているような子は、やはり存在するのだ。

たとえばすでに人気が出始めている子たち。グラビア出身で、バラエティ映えするような子たちは、貴重な番宣要員として採用されたりする。

それならばまだわかる。茉優にない才能を持っている子たちだからだ。

だが明らかに、自分よりも台詞回しも、容姿も劣る子も受かる。

大物スターを多く擁する有力事務所の一押しタレントたちだ。芸能界で言うところのバーターが効いているわけだ。

茉優の所属するアップルパイ・エージェンシーはそのバーターを使ってはくれなかった。すでにスターの座を不動にしている所属タレントの出演と、新人の売込みは、それはそれ、これはこれ、を貫き通すやり方だった。

新人でここに所属する意味はないのではないかとの思いも込みあげてくる。

さすがに二年目に入ると焦りも感じ、都合五十回目のオーディションに落ちたときにマネージャーに詰め寄った。

「加奈子さん、私、もう当て馬にされるの疲れましたよ。落ちるってわかっているオーディションは今後外してください」

局のエレベーターでふたりきりのときだった。

瞬時にビンタをくらわされ、茉優はよろけた。生れてはじめて他人に本気で殴られたのだ。

「ふざけたこと言わないで。顔を売るにはオーディションしかないでしょう。私は出来るだけ、審査員の顔ぶれが違うオーディションを選んでいるのよ。ひとりでもあなたに興味をもつプロデューサーや演出がいればそこからチャンスが広がるのよ。バーターで出演枠を捥(も)ぎ取っても力不足が露呈して不評をかうだけなのよ」

加奈子が目を真っ赤にして言っていた。

マネージャーにはマネージャーの言い分があるのはわかる。けれど一度昂(たかぶ)った感情は抑えきれなかった。

「母親にも手をあげられたことがないのに、加奈子さん、平手打ちなんて酷(ひど)いわ。これパワハラじゃないですかっ」

茉優は涙目で怒鳴った。

びしっ。

もう一度、逆側を張られた。

「私はあなたの芸能界の母親のつもりなの。お願い、この程度のことで不貞腐(ふてくさ)れないでっ。私、毎日、毎日、茉優のことを売り出すことばかり考えているのよ」

加奈子の目から、みるみる涙が溢れてきた。

急に胸が締め付けられた。

「ごめんなさい、ごめんなさいっ」

と泣きじゃくりながら加奈子の胸に飛び込んだ。

やがて、少しずつではあるが、茉優は長台詞の役を貰えるようになってきた。

不思議なものだ。

そうなればなるで、さらに欲が出て、嫉妬心も膨れ上がる。これは芸能人の宿命なのではないかと思う。

競って負けると、ストレスは落ち続けていたときの十倍以上に膨れ上がった。

「なぜあの子に負けたんだろう」

悔しくて自棄酒（やけざけ）を飲むようになった。オナニーをしているときだけ、心に安寧が広がった。

いくら加奈子に窘（たしな）められても、自棄酒は止められなくなった。

「茉優、芸能界は嫉妬したほうが負けなの。そうやって深酔いして潰れた子を、私は何人も見てきたの。嫉妬を乗り越えてっ」

加奈子は懸命に、レッスンにだけ集中するように言ってきた。

「わかっています」

そう答えたものの無理だった。

ライバルたちに募る嫉妬は消しようがない。

妬みは泥のように胸に膨れ上がり、オーディションで役をかっさらった相手はみんな死んでしまえばいいと念じるようになった。

実際、五寸釘を買い、魚肉ソーセージに嫌な奴の名前を書き、何度も挿したりもした。あのころから自分の心は崩壊していたのだと思う。

そしてあの夜、何気に歌舞伎町に足を踏み入れてしまったのだ。

2

「初回に限り、二時間五千円。飲み放題ですよ」

花道通りで北条真琴に声をかけられたのは、ちょうど一年前の初夏のこと。やっとありついたバラエティの再現ドラマの西新宿ロケの帰り道だった。

茉優はそれまで歌舞伎町に出掛けたことなどほとんどなかった。

住いは田園都市線の三軒茶屋の木造アパートで、事務所は表参道。

通っていた服飾専門学校はその中間の渋谷とあって、ほとんど渋谷を中心に生きていたのだ。

嫉妬に狂い、自棄酒を飲むのももっぱら三茶の居酒屋かファミレスで、要するに夜の町には免疫がなかった。

北条真琴は、鼻筋の通った美しい顔の持ち主だった。撮影所で出会うタレントや役者よりも遥かに美形に見えた。

ライトが当たっていないところで垣間見る人気俳優やタレントの素顔は必ずしもイケメンではなかった。

もっともこれもいまにして思えばのことだが、本物のスターたちは、オンオフがはっきりしていて、スイッチが入っていない時は、あえてオーラを消しているだけなのだ。いったんライトが当たればその輝き方は半端なく、夜のネオンか間接照明の店内でしか輝けないホストとは雲泥の差である。

ただこのときの茉優にはそれを見分けるほどの心の余裕がなかった。水商売は禁止でも、水商売の男に不満をぶつけるのは許されるはずだ。

「ひょっとして芸能人の方ですか？」

真琴にそういわれたとき、虚栄心にぱっと火が付いた。

「私、全然売れてないけど……」

芸能人っぽく笑う自分がいた。

「でも、やっぱ普通の女性とは全然オーラが違います。あぁ『ラルフ』とか『桃夢』のお客様なんでしょうね。うちの店なんかてんで格下です。失礼しました。いってらっしゃいませ」

真琴はあっさり引いた。ラルフとか桃夢というのは有名店なのだろうか。茉優はまったく知識がなかった。

「ちょっと待って。ほんとに五千円ぽっちでいいの」

五千円は払える金額だった。

「もちろんです。有名人の方だからといって、ボッたりしませんよ。追加は一切いただきません。気に入ったホストがいましたら、今日だけは指名料なしです」

真琴はとてもへりくだった調子でいってきた。正直、有名人扱いされただけで、すっかりいい気分になった。

「私、アップルパイ・エージェンシーの所属なの。妙なことしたら事務所が出てくるわよ」

芸能界流に軽くジャブは入れておく。

「まじっすか。アップルっていったら、薬王寺雄太（やくおうじゆうた）さんや有明春奈（ありあけはるな）さんがいる超ビッグプロじゃないですかっ」

真琴が額に手を当てて驚いている。そのふたりのスターが所属しているのは本当だ。だが、茉優は会ったこともない。

「同じ事務所っていうだけよ。私はぺーぺー役者。いいわよ二時間だけ寄っていくわ」

言葉では謙遜しているが、茉優ははじめて自分が強気になれる相手を見つけた気持ちになっていた。

店は『千の旋風』という名で、花道通りの区役所通りとクロスする僅か手前のビルにあった。

全館がホストクラブというやたらけばけばしい看板が並ぶ店だった。

店内はさほど広くない。マホガニーのテーブルが壁に囲まれたシックな内装だった。客はちらほらといた。

驚いたのは客層の若さだ。

茉優のイメージではホストクラブというのは、女経営者や風俗嬢といった金を持った女たちが狂乱するところであった。

ところが、いまそこら辺に座ってテーブルに高価なボトルを並べ立てているのは、茉優と同じ年頃か、ひょっとして未成年ではないかと見まがう少女のような顔をした客たちだった。

服装もやたらとフリルの付いたワンピースにツインテールの子が多い。

芸能界に身をおいて二年になる茉優からしてみればみな地味な顔で、こんな子たちばかりがオーディションに来てくれたなら、間違いなく自分はぶっち切りで連戦連勝だろう。

正直、ここで一番美貌の客は、たぶん自分。茉優はそう確信した。

ホストの方はざっと十五人ぐらいいるようだった。

やや奥まった、他の客からは見えにくい席に通された。芸能人として配慮されたようでうれしかった。

のちに気づくことだが、何のことはない、ホストたちは担当かぶりを見せないようにするために、初回の客を他の客の視線からブロックするために、奥まった席に通しているだけだった。

てっきり通りで声をかけてきた北条真琴が相手をしてくれるものとばかり思っていたが、五分ほどで次のホストに替わってしまった。

真琴はここの社長なのだそうだ。

「気に入った子がいたら、声をかけてください。場内指名、無料です」

それから次々にホストがやってきた。まとめて三人ずつ向いがわに座って、アピールしていくのだ。

なんだかオーディションの審査側に回った気分だ。

ホストたちは懸命に笑顔を振りまいて、速射砲のようにトークを放ってくる。あっという間に、茉優のテーブルにはトランプが出来そうなほどの名刺が並べられた。

「みんなすごく熱心なのね」

四巡目にやってきた花形流星（はながたりゅうせい）という、芸能人よりも立派な源氏名（げんじな）を持つホストがちょっと気に入った。

「はい、僕らにはマネージャーがいないので、自分で売り込むしかないですからね」

流星はまだ新人だといっていた。

そもそも小顔なのに黒髪のマッシュルームカットで額を隠しているので、ますます顔が小さく見える子だ。鼻が少し低いのがむしろ愛嬌（あいきょう）を引き出していた。

ざっくりとしたカリフォルニア・ブルーのサマーセーターを着ている。

「指名は流星君に決めたわ」

そういうと残りのふたりは、ちっと舌打ちをして引き上げていった。なんとなく彼らの気持ちが分かった。

ほんの少しの差なのだ。今夜ではなく、昨夜なら流星の隣に座っていた子を選んだかも知れない。

そしてそっちの方が正解だったかも知れないのだ。

ひとりしか選べない。

オーディションというのは結局そういうことなのかもしれない。

「私、確かに芸能プロに所属している役者だけど、まだ全然売れてない。オーディションばかりで嫌になる毎日よ。……ここは愚痴をいってもいいところでしょう。五千円、ぽっきりでぐたぐだいわれる流星君も、今日は不運だね」

真向いから隣に座り直した流星にいきなり悪態をついてやる。ホストクラブでは指名すると隣に座ってくれるのだ。

「とんでもないです。姫がくつろげるようにするのが、僕らの務めです」

「姫？」

茉優はあまりの滑稽さに吹き出した。

「はい、ホスクラではお客様は姫です」

「私の業界で姫っていったら、たいてい我儘（わがまま）アイドルを指すんだけど」

「ええええええ」

大げさに驚いた流星の肩が触れ、茉優はドキリとした。久しぶりに男を感じたのだ。流星はメイクをして中性的な雰囲気を出しているが、あきらかに牡（おす）の匂いがした。

茉優は男を知らないわけではない。

初体験は地元の高校の先輩。海沿いの駐車場でのカーセックスだった。狭い町では人目につかない場所でのカーセックスが大流行（はや）りだったのだ。

東京の服飾専門学校に進んでからは、三人の男と寝た。同じ学校のデザイナー志望の男、よく飲んだ居酒屋で知り合った大学生、はじめて行った円山町（まるやまちょう）のクラブでナンパしてきた男とすぐ近くのラブホで。

そこからは加奈子からのアドバイスもありオナニーの日々だった。丸二年、オナニー三昧で、リアルなセックスの感覚を忘れていたほどだ。

「だから、私には姫はいいよ。というかこういうところは、たぶんもう来ないし」

突き放すように言った。

「そうですよね。芸能界にいらっしゃるんですから、わざわざホスクラにくる必要ないですよね。僕らにしたら手の届かない人生ですよ」

流星はちょっと寂しげに笑い、せめてラインででも付き合ってくださいな、というのでＩＤを交換した。

　翌日からラインで語りあうことになった。

「私、実は田舎者なの」

「いや僕だってそうですよ。山陰の山育ちです」

「私は東北の海辺の町。年寄りしかいない町」

たわいもない話から、徐々にお互いの仕事を愚痴り合うようになった。

「またオーディションに落ちた。凹むよ。もう役者なんてやめようかな」

「こっちも指名ゼロ。後輩のヘルプについて酌しているだけ。なさけなくなってきた」

「会って話さない？　お店いかないと会えないの？」

　ふと茉優から誘ってしまった。

「いや、深夜一時過ぎか、昼の三時頃ならいいよ。歌舞伎町の中ならね。ほら遠くいくと、店に出るの遅れたりするでしょ」

　流星はホストという職業の外側に茉優を置いているともいっていた。

　その日の夜に、茉優は歌舞伎町に飛んでいった。会ったのは、安っぽい居酒屋だ。

「いちおう今日は俺の奢りです。でも、この程度の店でしか奢れません。茉優さんは青山(あおやま)のイタリアンとか、かっこいい店たくさん知っているんでしょう」

流星は徹底的にこちらに優越感を持たせてくるのだ。

「そんなことないよ。でも知らないってわけじゃないね。こんど私が招待する。ってかそんなことするぐらいだったら流星の店にいくべきね」

「いいですよ。あんまり惨めな姿は見せたくないですから。こんなふうに気楽に、安酒を飲んでくれる友達でいてくれた方がいいですよ」

それから三日にあげずに茉優は深夜の歌舞伎町に通うようになった。

寝るまでに二週間、五回目に会うまで引っ張ったのは茉優ではない。流星は、根気強く茉優のことを育て上げていたのだ。

友達営業(ともえい)から色恋営業に入るまで、ホストはじっくり女の特徴を観察する。どうすれば自分に気が向くか。どうすれば金が引っ張れるようになるか。そのための安い居酒屋投資は惜しまない。

そういうことだった。

「嘘(うそ)ぉ。童貞ってことないでしょう。二十二歳で、それはない。私、絶対に信じないから」

3

歌舞伎町二丁目の古城のようなラブホテル。

風呂上がりにバスタオルだけを巻いてベッドに上がり込んだ茉優は、流星を睨(にら)んだ。

この期に及んで、大芝居を打たれているようで腹が立った。

「本当だよっ。そうやって見下せばいいさ。俺は女を知らないから接客もだめなんだろうね。茉優と何度飲んでもラブホに誘えなかったのは下心を見せたくなかったのではなくて、童貞だと言い出す勇気がなかったからだよ。ちぇっ。笑ってくれよ」

メイクを落とした流星の顔が赤く膨らんでいる。流星もバスタオル一枚を腰に巻いているだけだ。部屋の照明はやや落としていた。薄暗がりだ。

「本当なの……」

茉優は流星の頬に手を置いた。

「帰るよ。やり方を知らない男といても退屈するだけだろう」

バスタオルを巻いたまま流星が上半身を起こした。

「待って。私もそんなに知っているわけじゃない。四人だけ。それもいろんなことを試したわけじゃない。ふつうにやっただけ」

「その普通も知らないんだよ」

「風俗もないのね」

「行くだけは行ったよ。でもあがっちまって勃起しないんだ。それ以来ばかにされるのが怖くて行かなくなった。自分で握るときには勃つんだけどさ。ホストをやっているのは他にできそうな仕事がないから」

流星は淡々と言った。

茉優はその唇に、自分から口を重ねた。

「んんんっ」

舌を差し入れると、流星は驚いたように目を見開いた。

「ちんぽは舐めてもらったことはあるけど、舌を絡めるなんて初めてだ。ちんぽを舐められても勃起しなかったけどね……」

「私も下手だけど、リードしてみる」

茉優は舌を絡めながら、互いのバスタオルを外し、流星の棹を探した。縮こまっていた。

軽く扱く。

やってくれと言われたことはあるが、進んで手こきをするのは初めてだった。舌を絡め合い、手のひらの中に亀頭を包んで撫でまわしたり、根元から雁に向けて手筒を上下させたりした。

「ふはっ」

流星の呼吸が乱れた。ときおり肩をビクン、ビクンと片方ずつ上げる。なんとなく肉茎に芯が通りだしたようだ。

肉茎に熱が帯びてきたのを感じると、茉優も興奮してきた。これまでに四人の男が茉優に施してきたことを、そのまま流星にやってあげたらいいのではないか。

そうすると……次は乳首舐めだった。

茉優は口づけを解き、顔を流星の胸板におろした。男の小さな乳粒がツンと勃っていた。

茉優がこれまで舐められて、一番感じさせられたのは大学生の奏太だ。舐める前に唇の中に唾をたくさんため込んで、じゅるじゅるさせながら吸い付いてくる。おっぱいが溶けてしまうのではないかと思うほど感じさせられてしまったものだ。

その真似をしてみる。

「んんんっ、茉優っ」

右の乳首に吸い付くなり、流星が身体を捻ってよがった。

「少しは感じる？」

唾を垂らしながら聞いた。

「乳首を舐められるなんて初めてだよ」

整った顔を蕩けさせながら言っている。その表情に愛おしさを感じてしまう。

「私のおっぱいも触って」

茉優は流星の手のひらに乳房を握らせながら、乳首しゃぶりを再開した。流星の指がぎこちなく乳首を摘まんでくる。

これまで身体を交わした男たちとは違う、新鮮な悦びがあった。

恋愛禁止。けれどもセックスやオナニーはOKのはず……。マネージャーの方針を思い出す。これはオナニーに近いセックスだ。

茉優はまだこのときそう思っていた。

「あぁ、俺、変だよ。自分で握っているときと同じように硬くなってきたよ」

左側の乳首に唇を移して舐めしゃぶっているとき、流星の肉茎がカチンコチンに硬くなった。木刀を握っているような気分だ。

「立派じゃない」

乳首から唇を離しあらためて流星の股間を眺めた茉優は、目を見張った。太く長いばかりではなく、本当に木刀のように反りかえっているのだ。

なんとなく黒ずんで見えたが、それが淫水焼けして鍛えあげられた男根とは知る由もない。

「茉優のあそこも見たい」

流星に掠(かす)れた声で懇願された。

「えっ?」

「俺じっくり見たことないんだよ。女子の構造を調べたいよ」

「なんていい方するのよ。構造なんて……」

そこは、女の自分にも難解でややこしい構造をした粘膜の渦巻きだ。調べたいといわれて、茉優はくらくらとなった。

「あっ、そっか。俺、工業高校卒だからさ。ついそういうところでも構造とかっていっちゃうんだよな。まじ会話のセンスねぇな」

流星が自嘲的に笑った。

茉優は心の底からこの男は初心（うぶ）なのだと思った。そしてまたまた優越感に浸る。

「いいよ。女の構造を調べさせてあげる。その代わり私も男の構造を確かめるよ」

言いながら流星の顔を跨（また）ぎ、自分の顔は流星の剛根に向けた。女が上のシックスナインだ。

がばりと開いた女の渓谷を晒（さら）すと、恥辱を超えて快感となった。

「複雑怪奇だ……」

流星がぼそっと言う。

「男は単純構造ね」

ぱくりと咥（くわ）える。亀頭から鰓（えら）の下まで懇切丁寧に舌を這（は）わせた。反り返りがどんどん大きくなり、茉優の唾で棹はぬるぬるになりだした。

反り返り具合を確かめるように茉優は、しゃぶりながら手筒を上下させた。よく滑る。

「ぁあっ」

流星の顔の上に乗せたヒップの谷底に、舌が這ってきた。舌先で丁寧に花びらをくつろげている感じだ。

舌の動きがぎこちないような気もするのだが、それでいて確実に花を左右に広げ、秘孔から溢れたとろ蜜を、舌先で掬いあげるようにしながら、女の最も敏感な部分に迫ってくる。

「んんんんっ、はうっ」

女芽をベロリと舐められたとき、茉優は卒倒しそうなほどの快感を得た。

気が付くべきだったのだ。流星は百戦錬磨の女性専用風俗のセラピストでもあることに。初心を装い、女を徐々に蕩けさせていく天才なのだ。

「ごめんっ、茉優、俺、変なところを舐めちゃったかな」

中途半端にクリトリスを刺激しておいて流星は舌をひっこめる。疼きのポイントを放置して、花芯ばかり舐め始めるのだ。

もどかしくてもどかしくて、茉優は尻を流星の顔面に密着させた。かなり大きな尻だ。ぐちゃっと口を塞ぐように女の粘処を押し付けた。

自分がこれほどスケベなことを平気で出来る女だとは知らなかった。

「茉優……べちょべちょだよ」

「舐めてっ、舐めてっ、尖ったところをいっぱい舐めて。あぁあああああ」

これほど発情している自分を発見するとは思わなかった。包皮から剝きだしになった肉真珠を硬い舌先で、上下左右にビンタをくらわすように舐られ、最後はちゅうちゅう吸われて、一気に飛ばされた。

「あぁああああああああああ。いくぅうううううう」

内腿を震わせながら、淫らに染まった脳が爆発する。

一回果てた。

ここで気づいてもよかったはずだ。あれほど唇と舌と前歯を巧みに使える童貞がいるはずないと。

茉優は極上の舌技に白目を剝いていたのではないかと思う。

二十秒ほど荒い気を吐き、身体を震わせていると、目の前で剛直がヒクヒクしていた。

流星の事情などお構いなしで、茉優はとにかくこの剛直を股の中に収めたいという衝動に駆られた。

すぐに上になって、腰を振った。

「わっ、俺、はいちゃったの？　これってセックス？」

童貞を装う流星がそんな言葉を吐きながら、少しずつ腰を打ち返し、子宮の一番感じるあたりに亀頭を押し付けているとは気づかなかった。

それと合わせ技で使われたのが、土手と土手の擦りあいだ。

ある瞬間、流星に腰骨のあたりを掴まれ、ぐっと尻を下げられた。一気に棹の全長が膣の中にのめり込んできて子宮をぐっと押された。眩暈がしそうなほど気持ちよかったのは、子宮だけではなかった。

密着した土手で再びクリトリスが揺さぶられていたのだ。得も言われぬ浮遊感に襲われた。過去の四人の男からは与えられなかった快感だ。

何気に、ほんとうにごくさりげなく流星はテクニックを使っていたのだ。

「はぅううううう。ごめんね。流星の溜まっているお汁を出してあげる前に、また私、いっちゃいそう。いやぁあああああ、いぐぅううう」

マロンブラウンのセミロングの髪を振り乱し、荒馬に乗った女のように茉優は巨尻を振り続けた。そして果てた。

流星は射精していなかった。どろどろに濡れた膣層の中で、ヒクッ、ヒクッと脈打ち続けている。

入れたまま、息が整うのを待ち、茉優は再び腰を振り始めねばならなかった。

結局、流星が大量の精汁を噴き上げるまで、茉優は三時間以上も繰り返し腰を振らされた。

気持ちいいとか、疼くとか、そんなことは通り越して、茉優は流星の男根の虜になっていた。

流星の最初の女になったとすっかり錯覚し、姉さん女房気分にさせられたのも確かだ。それからは坂道を転げ落ちたも同然だ。

店に通うようになった。最初はセット料金だけで遊んでいたが、ここでも嫉妬の感情が鎌首をもたげてきた。

流星は茉優が聞かされていたよりもはるかに多くの指名客をもっていたのだ。店に行っても待たされることが多くなった。ヘルプばかりがくるくる代わるのだ。

「店では伝票の額次第になりますから、勘弁してくださいね。流星も近頃、売れだしましてね。きっと茉優さんに育てられたんでしょうね」

店長の北条真琴がやってきてそんなことを言った。

——そう流星は私が育てたのだ。

そんな自負があった。

店に通うためには、他の女たち同様、ウリをやるしかなかった。

事務所に水商売は禁止されていたがキャバで働くわけではない。もちろんデリへルやハコヘルに勤めるような真似もしなかった。

マッチングアプリによる単独活動だ。出会った男たちは、皆一様に茉優の美貌に驚き、七万円という高めの設定にもかかわらず値切られることもなかった。

空きスケジュールの日に、三人客を取る。週に四日稼働することで茉優の月収は三百万を超えるようになった。

その金のすべてを流星に注ぎ込む。

嫉妬から始まった推しへの課金が、いつしか恋心に、茉優は流星の何人もいる本カノのひとりになっていった。

もちろん本カノは自分一人だと信じ込んでいた。

三か月の推し活で、とうとう結婚の約束を取り付けると、もはや仕事に身が入らなくなった。

やつれ切った顔でレッスン場に顔をだし、服装もみすぼらしくなっていく茉優に加奈子が疑問を持ったのはこの頃かららしい。

ウリで稼いだ金はことごとく流星への課金となり、茉優は自分の欲しい洋服や、食事まで切り詰めるようになっていた。

なによりも流星の太客(エース)であり続けることが優先される日々なのだ。ホス狂いとは、そんな精神状態になった女の総称だ。

事務所との契約の更新は、ギリギリクリアできた。三年目はラストチャンスの年とされるが、ここでマネージャーの加奈子が起死回生のブッキングをものにしてきた。

キー局、東日テレビの連続ドラマの三番手の役だ。

茉優にとっては役者として世に出る千載一遇のチャンスであった。だがそのスケジュールを聞いて、茉優は憂鬱になった。

主要ロケは広島の尾道（おのみち）。拘束五か月。もちろんたびたび東京には戻れるが、その間に横浜の緑山にある撮影所で台本読み合わせ、スタジオ稽古が続く。

流星に会いに行く時間はあってもウリをしている暇はない。それは会えなくなることを意味していた。

流星に事情を話すと、彼は優しく抱きしめてくれた。

「半年先には超有名人でしょ。そんなの後払いでいいよ。芸能人特権。ギャラ飲みで、うちの払いなんかどうにでもなってしまうよ。ギャラ飲みは真琴さんがセッティングしてくれるよ。お洒落（しゃれ）なバーで偶然居合わせたふりして、同席して飲むだけ。真琴さんにその約束してくれたら、半年先まで売り掛けＯＫ」

耳もとでそう囁(ささや)かれた。

名前が売れるということは、そういう稼ぎ方も出来るということなのだ。

茉優は人生の絶頂を感じ、これから先の人生はすべてうまくいくような気がした。

ドラマ撮影の現場に通いながら、時間が空くとすぐに歌舞伎町に舞い戻る生活がつづいた。

不思議なもので仕事も恋愛も充実しはじめると、嫉妬心は脳から消えた。人は自分が好調であれば他人のことなど気にならなくなるようだ。

所詮、嫉妬とは八つ当たりのようなものだし。

茉優の現場での評判は品があっておおらかな新人。

スタッフや共演者たちからそう評価され、秋には準主役級の役がまわってきそうな気配すらあった。

4

全部嘘だった。

なにが、山陰の小さな町で育った、だ。

なにが、俺、工業高校卒だから、だ。

童貞？　ふざけるんじゃないわよ。

事務所が、興信所に茉優の行動監視を委託していたことから、流星の本性が割れたのだ。

ドラマの放映開始と同時に東日テレビに一通の投書があったという。出演者のひとり石橋茉優とやったことがあるという投書だ。

そうした嫌がらせはよくあることらしく、東日テレビはいちいち目くじらを立てなかったが、マネージャーの加奈子は念のため調べさせたようだ。

若手新人女優がホス狂い。それだけでもスポンサーは眉を顰（ひそ）める。そして当然相手のホストについても調べた。

ホストクラブに通っているぶんには、事務所も茉優を咎（とが）めることは出来ないからだ。

問題は相手がどんな男かということだ。

加奈子にその報告書を突きつけられ、茉優は愕然（がくぜん）とした。

本名、鈴木義夫（すずきよしお）。じつに平凡な名前だ。

年齢、二十七歳。五歳もサバを読んでいた。

出生地、東京都杉並区。現住所は神宮外苑の高級マンション。そんなところに住んでいるなんて全く聞かされていない。なんどか通された流星の自宅は、大久保通りにある古びたマンションの一室。狭い部屋で衣服がハンガーに架かっているだけの部屋だった。

大学も出ていた。

それも良家の子女が集まることで有名な名門大学で、鈴木義夫は小学校からの生え抜きだった。

そして父親は日本で一番大きな広告代理店の取締役だそうだ。

そんな鈴木義夫が何故ホストになったかといえば、大学時代に主宰していたイベントサークルで、仲間と一緒に集団レイプ事件を起こしていたためだった。

幸い鈴木は逮捕されなかった。だがそれは、逮捕された仲間が口を割らなかっただけだった。

もしも真っ当な職業に就けば、かつての仲間たちがいつ脅しに来るかわからず、不安な人生を送らねばならない。

いっそホストになりその道で成功したほうが、悪行が露見してもむしろ武勇伝になると鈴木は考えたようだ。事実そんな話を、ホスト仲間に吹聴している。

しかも、とっくに時効が成立していた。

鈴木義夫は歌舞伎町のホスト流星となり、その生まれ持った女たらしの才覚で、つぎつぎに客を食い物にしていったというわけだ。

茉優は友達営業でじっくりと育て上げられ、うまい具合に色恋営業に引き上げられた。

ホストとして事業計画通りに仕事をしたわけだ。

そして最終仕上げとして本カノに抜擢される。

役者で言えば、主役についたようなものだ。

ホスト双六でいうところの上がり、というやつだ。

一度、主役の座につくと、二度と脇役にまわりたくないと思うのが人としての本能だ。

映画やドラマが、実は演出家と主役だけのものであるように、ホストクラブも本カノだけが主役で、あとはモブキャラに等しい。

担当ホストは本カノしか気にかけていないからだ。

裏を返すと常に担当にたいして最高額を課金し続けねばならないポジションである。続かなくなると、捨てられる。

茉優がトップエースでもないのに本カノを維持できていたのは、加奈子に言わせれば、将来の利用価値を狙ってのことだ。

近い将来、石橋茉優が有名人の仲間入りをすれば、さまざまな利用価値が生れるのだ。ギャラ飲みなどは序の口に過ぎない。


セレブへの枕営業。

茉優に知り合いの女性芸能人を紹介させ同じように育て上げることに協力させる。

そして最後は『元人気女優のＡＶ出演』というゴミ箱のような仕事が待っていたことだろう。


流星はすべて計算尽くで、茉優を育て上げたに過ぎなかったことになる。


そのことを流星に匂わせると、ヤツは豹変した。

『これ拡散して稼がせてもらうから』

スマホを掲げて見せられたのは、流星との生々しいセックス動画だった。しかも自分の顔にはモザイクをかけてある。

『拡散させてほしくなかったら、いままで通り俺の本カノの座をキープしろよ。エースになれとはいわない。いまの課金を続けてくれたら、動画は絶対にアップしない。順調に有名になってくれたらそれでいいのさ。みんな石橋茉優より多く課金していることで、勝った気になってくれる』

とせせら笑った。

エースとは、そのホストに最大の売り上げを与えている客だ。

流星にとって茉優自体が客を競わせるための『見せボトル』だったわけだ。

——許せないっ。

茉優は星空から視線を下げ、花道通りを見下ろした。どこかの店のホストが客の女に胸倉を摑まれている。金の切れ目は、ホストとの切れ目だ。

あの女もついに破滅（パンク）したのだろう。気が済むまで殴って、蹴って、泣きながらこの町を出ていったらいい。

ホストもそれも最後の仕事だと思っている。

——私はそんなレベルではすまさない。

流星を殺してやる。

そしてもちろん自分も死ぬ。ドラマはまだ半分しか放映されていないが、茉優の出番は終了していた。

事の次第を把握したアップルパイ・エージェンシーが自主的に降板を申し入れた

のだ。

おそらく、もう売り込みはしてくれず、契約期間満了で放り投げられるのだろう。

茉優は仕事と恋の双方を手に入れたつもりだったが、一気にどちらも取り上げらたことになる。

来世というものがあるのならば、一切こんな業界には関わらず、地味で平凡な人生を歩みたいと思う。

そろそろ向かいのビルから流星が出てくるころだ。

茉優はもう一度、夜空を見上げて息を吸った。

この歌舞伎町の淀(よど)んだ空気を胸に飛ぶのが、いかにも自分のラストにふさわしい。

結局、芸能界の星にはなれなかった。

出会ったホストの名が流星というのも、何かの因果だ。

――流れて消えろってわけね。

通りから賑(にぎ)やかな声が聞こえてきた。

客を送るホストたちの声だ。流星の声もする。二週間ぶりなのにひどく懐かしい気がした。

午前一時二十三分。

茉優は金網を乗り越えた。

風はなかった。

飛んでいるときだけでも華やかにみえるように、白地にいくつもの薔薇(ばら)をあしらったフレアスカートを穿(は)いてきた。

上は今年の流行りのカリフォルニア・ブルーのサマーセーター。

あえてショーツは付けていない。

流星がこの世で最後に目撃するものは、わたしのおま×こであってほしいからだ。

「じゃあね。エース、明日も頼むぜ」

「っていうか流星、居酒屋で待っているから」

女がアフターを迫っている。

ここで数分じゃれ合うのも帰り際のお約束だ。

茉優は飛んだ。

両手を広げて飛んだ。想像していたよりも、遥かに落下速度は速かった。ふわっとしたイメージだったのが、実際は、どさっ、だった。

スカートは広がるどころか、逆風で捲(めく)れ上がり下半身が丸出しになった。みるみる地上が迫ってくる。流星がこちらを向くのが見えた。虚(うつ)ろな目だった。

茉優は片脚を曲げた。

そのまま流星の頭に膝蹴りを見舞い、木っ端微塵にしてやる。

「うわぁあああ。飛び下りだっ」

流星が叫んだとき、茉優の膝頭は流星の顎を捉えていた。

「危ないっ」

そのとき、脇から女性警察官が飛び出してきて、流星に体当たりを食らわせた。

流星が何処かに飛ぶ。

「えっ?」

目標を失った茉優は、『千の旋風』が入るビルの壁に激突した。

脚から落ちたつもりが、最後は顔面からビルの壁に激突していた。

茶色のコンクリートの壁が目の前に迫ってきて、鼻とか頰が砕ける感触があって、最後は脳から何かが飛び出した。激痛に見舞われたが一瞬だったと思う。声も出なかったのではないか。

初めて見る地獄は真っ暗だった。

これを誰にも伝えられないのが、とても残念だ。

——とりあえず私、一回死ぬわ。

第二章　歌舞伎町凱旋

1

「歌舞伎町はこの九年でずいぶん変わってね」

警察庁総務局長にまで昇り詰めた久保田大介が、だいぶ増えた白髪を撫でながら、切り出してきた。

「そのようですね。女性客がだいぶ増えたと聞いています。よかったじゃないですか」

真木洋子は持って回ったような言い方をした。

嫌な予感がしたからだ。久保田は総務局の中でも人事畑一筋で来た男だ。

わざわざ内閣府内にある洋子のオフィスにまでやってきたということは、転属の要請であることが明らかだ。

「真木室長が、二〇一五年の四月に新宿七分署に性活安全課を創設したのは、あれはたしか東京五輪開催を前にした歌舞伎町浄化作戦のためだったね」

久保田がエスプレッソの入った小さなカップを口に運びながら、洋子の執務机の背中にある窓を眺めた。

通りを挟んだ向こう側に総理大臣官邸が見える。

ここは二年前に発足した総理直轄の治安維持機関である。警視庁の他に全国各地の県警本部から有能な人材が集められていた。特に組織犯罪対策部(マルボウ)と公安部(ハム)出身の刑事が多く集められ、他にも内閣情報調査室(サイロ)や公安調査庁からの出向組の手も借りていた。

つまりありとあらゆる方向から巨悪を追い詰めるために組織された特務機関なのだ。

刑事部系統である捜査一課、二課、三課からの出向がほとんどいないのは、殺人や詐欺、強盗などの一般的な刑事事件の捜査はほとんど行われないからだ。

とりわけ真木機関が目指すのは、テロ集団と反社会組織の壊滅。それも従来からある団体ではなく、あらたに芽生えたまだ得体のしれない集団を割り出し、早期にその芽を摘んでおくことにあった。

　在来集団は公安なり組対の管轄であり、彼らが常態的に監視の目を光らせている。真木機関の役割は、その網の目の外にいる新興勢力であった。

　半グレ集団しかり、極左、極右の集団というのは必ず新種が現れる。社会からはみ出し、国家に不満を持つ者は、どれほど時代や社会が前進しても必ず存在するからである。

　そしてカルト宗教集団もしかりである。必ず新手が生れる。人々の弱みや欲望に付け込む本質はいつの時代も変わらないが、そのマインドコントロールの手法は日々進化している。特殊詐欺も同じである。

　真木機関はそうした集団に潜入し、逮捕、裁判を目的とせず壊滅させる工作をになっている。

　捜査ではなく工作である。それが警察とは異なる。

　真木機関とは通称名である。

　正式には『官邸資料室』。洋子はその室長であり、元警察官僚であった。

「性活安全課が懐かしいですね。歌舞伎町の性風俗浄化作戦は三代前の都知事の肝いりの政策で、警視庁としても何らかのキャンペーンを敷かなくてはならなかったんですよね。それでその部署を駆け出しの私に丸投げした」

洋子は皮肉っぽくいった。

久保田の手土産だという表参道の『グラニースミス』のアップルパイをフォークで切りながら、当時のことを思った。

洋子が警視庁の犯罪分析課にいた頃、庁内作文コンテストに応募した歌舞伎町ブロードウェイ化計画が上層部の目に止まったのが、そもそも運命のいたずらだった。そんなやる気のあるキャリアをトップに据えた歌舞伎町対策部門を立ち上げて、大々的にやっている雰囲気を出そう――。それが総監及び警視庁上層部の魂胆だった。

著名な作家にして文化人としても知られる三代前の都知事へのアピールでもあったからだ。

「あれは警視庁の歴史に残る快挙だった。売春組織の内偵から覚醒剤密輸、政界と半グレの癒着にまで斬り込んでくれた」

「偶然ですよ。私はそもそも捜査のイロハも知らない分析官だった。潜入した捜査員たちが次々に闇の蓋を開けてくれたんだわ」

おかげで自分は潜入捜査中にレイプされ処女を失ったのだ。

あれからずいぶん逞しくなったと、自分でも思う。

性活安全課は新型コロナウイルス感染症が流行し始めた二〇二〇年から活動を休止した。風俗業そのものへの潜入が困難になったからだ。

その後洋子は、警備課に転属になり現総理のＳＰになったことから、総理と懇意になり、この特務機関の責任者になることを仰せつかった。

警察庁から内閣府に出向ではなく、すでに転籍している。

「性活安全課が広域捜査部門として全国展開してくれたので、悪徳性産業にとっては大きな脅威になった。いまも抑止になっているよ。厚労省の麻薬取締官や国税の査察官と同じで、いつ内偵されているかとびくびくしている」

久保田が淡々と語る。

洋子は立ち上がり、マホガニーのサイドボードの上にあるデロンギ社製のコーヒーマシンに向かった。自分もエスプレッソを淹れる。自前で持ち込んだコーヒーマシンだ。

「局長、もう一杯いかがですか」

「ありがたいね。では普通のブレンドにしてもらえるかね」

久保田はアップルパイを齧った。久保田のはカスタード入りで、洋子が選んだのはラムレーズン入りだった。どちらも美味しい。

打ち合わせ用の大型テーブルに戻りエスプレッソを一口呷り、アップルパイにフォークを伸ばす。この苦さと甘さの落差がいいのだ。

「真木室長はホストクラブをどう思うかね」

苦み走ったエスプレッソの味が残る舌の上に、リンゴとラムレーズンを絶妙の塩梅で包んだパイを載せたとたんに、久保田に聞かれた。

味が損なわれる。

「久保田局長はなぜ、そんなことを聞くのですか」

洋子は聞き返した。いやな予感が的中しそうなのだ。

「ホストに嵌まる女性警察官が増えている」

「えっ」

思わず目が尖るのが自分でも分かった。一気に胸騒ぎが起こる。

もちろん女性警察官であろうが女性刑事であろうが、ホスト遊びをするのは自由だ。

だが、ホストクラブは普通の風俗、飲食業としては割り切れない微妙な問題がいくつも絡んでいる。

——恋愛ビジネス。

洋子はそう見立てていた。

「昨年から今年にかけて、全国の本部から女性警察官がホストに嵌まって捜査情報を流していたという事案が報告された。五十件を超えている。幸いマスコミに漏れていないだけだ」

「漏洩情報の中身は？」

「主に店への手入れ日の情報だ。時間外営業や未成年者と知って入店させている店はざらにある。だからそこら辺の情報をとっていた。中には速度違反の検問の日程や場所の情報を流していた交通課の女警もいた」

「彼女たちへの懲罰は？」

重くすべきだ。

「内部における戒告から減給に留めている。マスコミに騒がれても困る。泳がせて、行動確認をしたほうが得策と考えての上だ」

「確かに。それでその結果はどんな状況でしょうか？」

「ホスクラ通いは止まらなかった。それどころか風俗での副業を始めた者が多かった。で、各本部は無届け副業で免職にした」

「情報漏洩ではなく無届け副業で処罰したのですね」

　警察らしいやり方だ。

「そこまでなら、私も真木室長のところには来ないさ」

　アップルパイをすっかり食べ終えた久保田が、片眉を吊り上げた。

「と言いますと？」

「先週、公安の外事二課の女性潜入捜査員が西新宿のホテルで手首を切って自死した。先々週には上野東署の組対係の女刑事が、台場で入水自死した。いずれも遺書があり、ホストに裏切られた末のこととあった。情報漏洩に関しては双方の部署が、徹底的に追っている。その捜査はいいのだが、真木室長、ホスクラっていうのは、一体全体どういうものなのかと思ってね」

　久保田が天を仰いだ。

　これは一大事だ。

「私は飲食業、風俗業の仮面を被った一種のカルトビジネスではないかと思っています」

　率直な意見を述べた。

　久保田は沈黙した。ブレンドコーヒーを一口飲んだところで、おもむろに口を開く。

「そういうことなのか。さすがは分析官と風俗の最前線の捜査をしてきた君ならではの見立てだ」

「おだてないでくださいよ。歌舞伎町で起きている事案をつぶさに観察していればわかることです。女も遊ぶ時代とか、男がキャバクラや高級クラブで遊ぶのと同じことといっている自称進歩的ジャーナリストもいるようですが、ホスクラの手口は、カルト教団の手口と変わらないのではないでしょうか」

洋子は残っているパイを一気に口に放り込んだ。蕩けるようで、しかし品のある甘味が口の中に広がる。恍惚（こうこつ）となった。アップルパイを食べるならグラニースミスだ。

もともとホスクラ、ホストについては洋子も気になってはいた。

東京におけるホストクラブの誕生は一九六五年、東京駅八重洲（やえす）口に開店した『ナイト東京』という店とされている。

その後、一九七一年に歌舞伎町に現在も日本最古のホストクラブと呼ばれる伝説の店が誕生したことから、徐々にこの町に店があつまるようになった。

だがホストクラブはある時期まで、風俗業の中ではあくまでも傍流。特殊な女性たちが訪れる店とされていた。

男性中心の社会構造の中で、ホストクラブで遊べる女性は限られていたからだ。ほんのひと握りの有閑マダムと女実業家が若い男をからかう場。あるいは同業の水商売や風俗業で稼いでいる女性たちのうっぷん晴らしの場、というのがホストクラブの存在意義であったはずだ。

それがごく普通の女性たちに浸透しだしたのがいつ頃だったのかは定かではない。マスコミが目を向け始めたのは、コロナ禍で歌舞伎町のキャバクラが次々に休業する中、ホスクラだけが営業を続けていたあたりからである。

客は一般人が大半を占め、推し活のためにOLが風俗に向かうという、これまでとは逆転した現象が起き始めた。

風俗嬢がホスクラに行くのではなく、大学生や昼職だった女が、ホスクラに通いたいがために、身体を売り始めたのだ。

女も退屈を燃やす時代になったという論調があるが、洋子はどこか違う気がした。料金がキャバクラなどとは桁違いなのだ。

「先日、また歌舞伎町で若い女性タレントが飛び下り自殺をした。歌舞伎町の路上ではホストと客の諍い(いさか)が絶えないという。大久保公園の周囲では、ホストに貢ぐために若い女が立ちんぼになっている。私が古いのかもしれないが、どうもよく理解できない」

「久保田局長は、銀座や六本木でもし好きなホステスがいたとして、その女性に貢ぐために、他の女性に身体を売りますか？」

洋子は唐突に尋ねた。

「想像できないね。そもそも私の年齢ではそんなことをしても意味はないだろう」

「では久保田さんの性癖がストレートだったとして、男性にお尻を貸したら凄くお金になるとしたらどうですか？　久保田さんの年齢でもぜひにという方がいたとしてです」

「とんでもない。私はストレートで同性愛の癖はないから百パーセントない。尻を貸すなど絶対にしたくない！」

今度は即答だった。

「ホストに嵌まっている女性たちも、その絶対にしたくないことをやってでもお金を作っているわけです。普通のＯＬだった女性が、自ら進んで見知らぬ男性とセックスする。これおかしな精神状態じゃないですか？」

洋子はそこが一番大きな問題だと思っている。

「彼女たちにとって、ホストは神なんだろうな」

久保田がため息をついた。

「はい。だからこれはカルト宗教と同じなのです。どんなことをさせてでも金を使わせる。それがホストクラブです。マインドコントロールは何も宗教に関してだけではないですから」

洋子は、かねがね思っていることを述べた。

久保田が立ちあがった。

コーヒーカップを持ったまま窓辺に進んだ。官邸をじっと見つめたまま言った。

「やはり、真木室長にカムバックしてもらうのが一番いいようだな。実は組織犯罪対策部と公安部の双方から情報があがってきているんだが、『万里観光』というホスクラグループが華岡組という新興暴力団の資金源になっているんだが、チャイナマフィアとも組んでいる。歌舞伎町に五店舗ほどあるのだが、ひとつのビルに固めているそうだ。万里ビルという」

「それは、危険すぎますね」

洋子は即答した。

「警察庁としては闇処理したいのだ。現行法では取り締まる方法がない。一点突破で、万里観光を潰して欲しい。デモンストレーションだ」

「闇処理でいいのですね。ビルごと吹っ飛ばしますよ」

どうもホストクラブというものが気に入らなかった。

富裕層の女性たちから高額な料金を取るのは構わない。同業の高級クラブのホステスと相互に行き来するのもご愛嬌だ。

だが、絶対に払いきれないと知っているはずの一般ＯＬを恋愛コントロールで風俗に落とすのは畜生の所業ではないか。

メンヘラを食らっている未成年者を誘導し、立ちんぼまでさせて支払いを強要するのは、もはやまっとうな商売とは言えない。極道商売である。

ましてやその魔の手が女性警官や刑事に伸びてきているとすれば、国家の一大事だ。

――潰してやる。

「長官から総理に、真木室長に警視庁に復帰してもらえるよう嘆願させよう。その場合引き受けてくれるな？」

「総理がやれといったことを私が拒否することは出来ません」

総理から現時点で特別な任務は命じられていない。許可はすぐに下りるだろう。

九年ぶりに歌舞伎町出動だ。

2

梅雨が明けようとしていた。

洋子と松重豊幸（まつしげとよゆき）は九年ぶりに歌舞伎町のゴジラロードを並んで歩いた。松重は元新宿七分署のマルボウだったが、性活安全課創設と共にそこに転属になった運の悪い刑事である。

捜査経験のない洋子のサポート兼ボディガード役としてつけられたのだが、以後ずっと洋子と行動を共にし、現在は真木機関の顧問である。

「あの頃はまだ正面にゴジラはいなかったわね」

洋子は新宿東宝ビルの上から首を出しているゴジラを指さした。

「そうです。新宿コマ劇場もすでに取り壊されていましたが、あのビルが完成したのは、我々が去った後の三月ですからね。まだフェンスに覆われた一角でした」

松重も懐かしそうに辺りを見回していた。

もちろん洋子も松重もあれ以来歌舞伎町に来ていないわけではない。なんども訪れている。

けれどもこうして再びこの町で任務を再開するとなると、脳がごく自然に九年前と現在の違いを探そうとしているようだ。

歌舞伎町の構造は基本的には何も変わっていない。

歌舞伎町一丁目が飲食街、二丁目がラブホテル街という骨格もそのままで、新宿東宝ビルが出来てＯＬや健全なサラリーマンの姿が増えたようでもあるが、町全体から漂う猥褻(わいせつ)さと凶暴さは変わらない。

新宿東宝ビルの横に出る。

シネシティ広場の方へと進むと。かつて新宿コマ劇場の正面入り口だったあたりに少年や少女がたむろしていた。少女の方が多そうだ。

地べたに座り、紙コップに刺さったコーラのストローを咥(くわ)えたまま、つまらなさそうに通りを眺めている子や、三人ぐらいで輪になって笑い転げている子たちもいる。

トー横キッズと呼ばれる子たちだ。家にも学校にも居場所がなく、ここに集まってくるという。学校に行っていれば高校生ぐらいだろう。

洋子があの年代だった頃は、勉強するのが楽しくてしょうがなかった。

英語でも数学でも夢中になって問題を解いていた。どんどん難解なものに挑戦し、脳の中に知識を溜めていくことに恍惚感を覚えたものだ。

洋子にとって勉強は楽しいものだ。

たぶんアスリートを目指す高校生が、どんなに激しいトレーニングを課されても苦にならないのと同じことだと思う。

得てしてそうしたタイプは友達がいなくても生きていける。

同じ頃ドラムに夢中になり、勉学を捨ててバンドマンになった同級生はやはり孤独な少年だったが、現在、ロック界のスターのひとりになっている。

人生で大事なことは、出来るだけ早く好きなことを見つけることだと思う。

だからと言って、やりたいことを見つけられない、どこにも居場所がないと嘆く子供たちを否定する気はない。

人はそれぞれだ。目障りだからといって、排除しようとする行政もどうかと思う。

ただ、もう一方で、洋子は彼女や彼らを全面的に肯定する気にもなれない。

メンヘラと自称する子たちは、自分たちでは、もうどうにも出来ないから、誰か助けてほしいと願う。

それはわかる。

けれども、誰も自分たちのためには動いてくれないと怒り出すのは筋違いだ。

他の人間もそれぞれ忙しく生きているのだ。

世間的に上級国民と呼ばれる官僚や大企業の幹部社員は二十四時間仕事に追われている。

国家のため、企業の発展ため、外資に負けないため、そして家族のためにと、身を粉にして働いている大人たちがいることも認識して欲しい。

それぞれ頑張っているのだ。

残念ながら社会はどんなに政治体制が変わろうが、平等にはならないものだ。

ふと松重にもそんなことを聞きたくなった。

「松っさんは、あの子たちの年頃には何をしていたんですか」

この大先輩はなぜ警察官になろうとしたのか、まだ聞いていなかった。

「柔道です。中学からずっと柔道をやっていました。たいして強くはなかったので、大学の柔道部でやっていく自信はなかったです。それで高卒で警察への道を選びました。警察の所轄署にはほとんど柔道場があるでしょ。職場で柔道が出来るって、警察ぐらいですよ」

と白髪頭を叩く。

「良い選択だったみたいですね」

「はい。警察署には仮眠室もあれば食堂もある。宿直用の風呂だってある。暮らしに困らないですよ。ちょっとストレスがたまったら射撃場で実弾をバンバン撃つことも出来る。これ、普通の人、できないでしょう」

松重は右手を拳銃の形にしてバーンバーンと叫んだ。

「いや、射撃訓練をストレス発散に使っちゃだめでしょ。ゲーセンじゃないんだから」

円筒状の城塞のような歌舞伎町交番が見えてきた。花道通りとの交差点だ。

洋子たちは区役所通りへと進んだ。

真昼間だというのに、大音量のカラオケやタンバリンの音が聞こえてくる。昼キャバはこの時間も活況を呈しているようだ。

「おっさん、スカート捲（めく）んないんでよ。パンツ穿（は）いてないんだからっ」

「あっ、嘘つけっ」

「あはははっ。生尻を見られるって期待したでしょっ。おっさん、これは生尻柄ショーツだよ。陰毛もリアルでしょ。どぉ、ぐっとこない？」

「ちぇっ。パンツは、パンツだっ」

酔っぱらった客とやたら陽気なキャバ嬢の掛け合いが聞こえてくる。

このセクハラに厳しい世の中で、堂々とこんなトークを交わせる場など、キャバクラぐらいだろう。

男をうまくあしらう彼女たちの奮闘に頭が下がる思いだ。

「まるでロックスターたちのようなボードね」

区役所通りに近づくにつれ、ビルの上にホストクラブのボードが増えてきた。揃いも揃って、ビジュアル系と呼ばれたころのロックスターたちの髪型やメイクだ。それにポーズも似ているのだ。

九年前にはこれほどはなかったと思う。

「自分には昔の映画館街の看板に見えますがね」

松重が言った。

そういう見立てもありだ。

二丁目側には全館ホスクラというビルが目立った。

とくに縄張りなどはないようだが、一丁目は一般飲食店や女性たちが中心のキャバクラやスナックが古くからひしめき合っているので、ホスクラはその裏側にあり、二丁目との境を中心に発展したようだ。

万里ビルもその一帯にあった。かなり古い角ビルだった。以前はキャバクラやスナックばかりが入っていたビルだ。

六階建て。一階から五階までホスクラが入っている。最上階は万里観光のオフィスのようだ。

とりあえず素通りする。

風林会館の斜め前の雑居ビルが見えてきた。

古い煉瓦造りのビルだ。

洋子は感慨深げに眺めた。九年前に性活安全課の歌舞伎町オフィスがあったビルだ。

警視庁はその後も物置として、キープしていてくれた。

ここを真木機関として借り上げる。

性活安全課を復活させ、捜査をするのではない。真木機関としての悪徳ホスクラ潰しのための工作活動だ。

捜査し、難癖をつけて逮捕するというのでは、いたちごっこにしかならない。

狙いはあくまで、マインドコントロールで客たちを永遠に金蔓にする悪徳ホストやそれを奨励している店だ。

一般ＯＬが給料の枠内で遊べる価格設定にしている店や特定の富裕層だけを相手にしている店はそのままだ。

洋子は懐かしいエレベーターに乗り込んだ。

指が階数を覚えていた。

古めの小さな階数ボタンの六階を押す。

ゴンドラがギィと油の切れたような音を立てて、ゆっくり上昇した。

エレベーターホールを降りるとすぐに木製の扉が見えた。九年前に取り付けられた樫（かし）の木の扉はさすがに少しくすんでいたが、金のプレートはいまだに光り輝いていた。

【歌舞伎町ナイト】

あのときと同じ刻印が押されている。

怪しげな会員制クラブのようなプレートだが、これでいい。

当時はレイモンド・チャンドラーの小説の主人公フィリップ・マーロウの探偵事務所のような作りになっていたはずだが、現在はどうなっていることやら。

扉を押した。これまた鈍い音がする。

「ほう、そのままにしてくれている」

松重は懐かしそうに目を細めた。

中にすでに女性が立っていた。

すらりと背の高い、目鼻立ちがくっきりした女だ。

ジーンズにTシャツというラフな格好。それにドジャースのキャップをギャング被りにしていた。黒髪のセミロングだ。

「お待ちしていました。本日付で真木機関歌舞伎町分室に出向になりました二階堂由美と言います。二十五歳。階級は巡査です」

背筋を伸ばし、腰を前に十五度折り、顔を突き出す正式な敬礼だ。

洋子と松重は照れ笑いを浮かべ、普通の敬礼で返した。

「あなたがホストに体当たりした歌舞伎町交番詰めの巡査ね」

「はい、地域係をしておりましたっ」

とにかく威勢がいい。だが目元と唇はやけにセクシーだ。

「よろしく頼むわね。真木機関は警察庁の管轄じゃないから、敬礼の習慣は忘れて。任務は潜入がメインだけど、あなたには道案内を頼むわ」

「はいっ」

と敬礼しそうになった由美が、その動きを途中で止めた。

オリジナルメンバーだった上原亜矢と新垣唯子は、昨年の京都での事案終了後、それぞれ結婚して退職した。

この二階堂由美を、これから洋子の片腕として育てなければなるまい。

「じきに永田町から元新宿七分署のメンバーが戻ってくる。それまでコーヒーにでもしよう」

松重がすでに設置されてるデロンギのコーヒーメーカーに進んだ。洋子の内閣府の執務室から届けさせておいたものだ。

一時間後にＩＴ担当の小栗順平と武闘派の相川将太がやってきた。外事畑の岡崎雄三は官邸との調整係として内閣府に残してある。

「まずは現状把握からはじめましょうか。小栗君、オリエンテーション資料を見せて」

洋子の声に五人が楕円形の大型テーブルについた。小栗がリモコンを操作し、壁に張り付いた五十二インチ液晶画面のスイッチをいれた。

【①歌舞伎町ホスクラ被害状況　②万里観光について　③華岡組について】

画面にそんな文字が浮かんだ。

さすが小栗だ。ＡＩを駆使して膨大な情報を集め、なおかつそれをわかりやすく整理してくれている。

まずは悪質なホスクラの手口が羅列されていた。

売り掛けが溜まった客に店ぐるみで風俗店を斡旋したり、未成年者だと知っているのに、わざと偽の身分証を持たせて飲ませているなんてのはざらのようだ。

これらはすべて犯罪だ。

状況説明がひと通り終わったところで、洋子はメンバー全員を見渡し、宣言した。

「政治家が好むような総花的なキャンペーンをやるつもりはないです。ホスビル一棟潰しましょう」

万里ビルのことだ。

「やります！」

一番威勢よく返事したのは、新入りの二階堂由美だった。

「あなた元気ね。相川君とバディになって」

そう命じ、今夜はこの女と飲んでみようと思った。

3

「何かここは普通の美容室とは違う感じですね。ほとんどセットのお客さんばかり」

　黒崎加奈子はシャンプーを終えたばかりの黒髪を、羽生雪彦（はぶゆきひこ）にバスタオルに包んでもらいながら、周りの客席を見渡した。

『美・サイレント』。

　花道通りの歌舞伎町一丁目側に面したビルの六階にあるヘアサロンだ。

　広々としたヘアサロンだった。

　室内は縦に長く、左右に十基ずつのリクライニングシートが並んでいるが、加奈子以外の客は、ほとんど十分ぐらいで出て行く。

「はい。場所柄、キャストさんやホストさんが多いからですね。出勤前にここで身支度をしていくという感じです。毎日のことですから、二千円でブロウだけというお客さまが大半です。中には起き抜けでいらっしゃり、ここで洗顔からメイクまでしていく方もいますけどね。あと二時間もすれば、戦場のような忙しさになりますよ」

雪彦が笑いながら言う。

黒髪のオールバックにロイドメガネ。ピンストライプのシャツに紺地に刺繍（ししゅう）入りのベストをあわせて、ボトムスはごわごわのリーバイス。ニューヨークのカットサロンにでもいそうなスタイリストだ。

壁の時計は午後二時を指していた。水商売の人たちの出勤準備にはまだ少し早い。この時間に来て正解だった。

バスタオルの上から頭を揉（も）んでくれている雪彦は、見たところ二十代半ばぐらいで、アイドルにもホストにもなれそうな美貌の持ち主だ。

芸能マネージャーという職業柄、加奈子は何気に聞いた。

「タレントのオーディションとか受けたことないの？　なんかそのマスク、美容師にしておくのもったいない感じ。芸能界に進む気とか、まったくないの？」

「ないですね。美容師の仕事が気に入ってますので」

雪彦は一瞬不快な表情を浮かべた。

「あら、気を悪くしたらごめんなさい。ヘアスタイリストのほうがタレントなんかより、よぽどきちんとしたお仕事だわ」

加奈子は詫(わ)びた。

たとえ裏方であっても芸能界の内側でばかり働いていると、つい誰もが有名スターになりたいのではないかと思ってしまう。

年がら年中、アイドルになりたい、役者になりたい、芸人になりたい、という若者やあるいはその親からせがまれるからだ。

そしてそのチャンスを与えられる自分たちは、ついつい神でもあるかのような口調になってしまうのだ。

しかし、それはスタッフとしての驕(おご)りだ。

世の中の大多数はむしろ芸能界などに興味がないと考えるのが妥当なのだ。きっといまも自分は、ちょっと偉そうな口調だったのではないかと、恥じ入った。

「ホスクラのスカウトさんにもよく声をかけられるんですけど、僕はそもそもお酒が飲めないですし、トークも苦手なんです」

雪彦の十指が側頭部から徐々に頭頂部に上がってきて、頭皮を刺激してくれる。

「でも、手先はとても器用なようね。揉んでもらって気持ちいいわ」

うっとりした気分になって、そう言うと鏡の中の雪彦が満足そうに目を細めた。

その鏡の脇の窓から、斜向(はすむ)かいのビルの屋上が見えた。

一か月前、茉優がダイブしてしまったビルだ。

そのことに思考が向かうと、気持ちがまたどろどろになる。

六月七日の未明、事務所の社長から何度も電話やメールで知らせがあったようだが、加奈子は高円寺のマンションで爆睡していた。

茉優にホストとの縁を切らせ、次を目指させるために、芸能界の大物社長と西麻布の会員制バーで深夜まで飲んでいたのだ。

芸能界の首領と呼ばれる社長は、歌舞伎町を仕切る闇社会にも通じており、こうしたトラブルの際の仲介役としても知られている。

同業他社のタレントであっても手を貸すが、将来の利権の多くを出さねばならない。加奈子はアップルパイ・エージェンシーの社長、澤向隼人から一任されて交渉に臨んでいた。

こうした場合、歌手ならば印税の一部と一定地域における興行権を譲渡するのが常套手段なのだが、茉優は歌はやっていなかった。

歌い手としては個性に欠けていたからだ。カラオケで他人の歌をどれほどうまく歌えても、プロの歌手で成功するのは難しい。

歌はうまさではなく個性があるかないかだ。

ハードなネゴの応酬となった。

芸能界の首領は、石橋茉優のテレビでのブッキング権と出演料の二十パーセント、ＣＭに関しては何と七十パーセントを要求してきた。それで歌舞伎町のホストを抑え込んでやると。

ブッキング権を差し出すとは、今後茉優のテレビ出演の交渉は一切がアップルパイ・エージェンシーではなく、首領の率いる『ダイナマイトプロ』が行うということだ。

バーター売り。

大物俳優とのバーターで売るのがダイナマイトプロの手法だ。茉優の出演の幅は大きく広がるが、同時にダイナマイトプロが次に売り出したい新人のバーターにも使われる。

ダイナマイトプロにブッキング権を委譲すれば、茉優の知名度が上がるのは確実だが、そのぶん一気に消耗もする。

芸人も多く抱えるダイナマイトプロであれば、バラエティの出演も余儀なくされるだろう。

役者としての芯がやっとできはじめた茉優が、芸人に弄(いじ)られぼろぼろになっていくのは目に見えている。

それでも、ホストに食い物にされるよりはまだチャンスはある。たとえば腕のある演劇人たちが集まる舞台を多く踏ませることだ。それでテレビでの姿とは別に、本格俳優としての形を作っていこうと加奈子は思うことにした。

長い交渉の末、出演料のピンハネは十パーセント、CMはダイナマイトプロ経由の契約のみ折半。舞台契約に関してはアップルパイ・エージェンシー側が自由に行えることで折り合ったのだ。

ちょうど午前零時を廻ったところで、八十歳を超えている首領が、面倒くさくなって手を打ってくれたのだ。

それでどうにかこの先の展望がみえたので、あの夜は久しぶりにぐっすり眠れた。

午前五時。ドアチャイムが何度も鳴った。ベッドから這い出して眠い目を擦ってドアホンを見ると制服姿の巡査が敬礼して立っていた。

茉優が死んだようだと聞かされても、咄嗟には何のことかわからなかった。そんな役を渡していたっけとか、自分がTシャツとショーツだけで寝ていたのでまずブラジャーをつけなくてはとか、そんなことばかりが頭の中を飛び交った。

事態が飲み込めないまま新宿の警察署に行くと、社長の澤向がソファでうなだれていた。

警察は巻き込み事故がなくてよかったと、とくに茉優を憐れんでいる様子はなかった。歌舞伎町ではよくあることだ、とも。

五時間後、山形から両親がやってきた。

何がどうしてこうなったのか、父親も母親も加奈子以上に事情が飲みこめず、ただただ呆然自失とした様子だった。

責任の重さを感じた。

タレントをマネジメントするということは、一方で命を預かっているということで、加奈子にはその意識が希薄だったのだ。澤向と共に両親に土下座して詫び、両親と一緒になって大声をあげて泣いた。

両親から茉優のスマホを見る許可を得て、メールやラインの記録を確認すると、彼女が本気でホストとの結婚を夢見ていたことがよく分かった。

潰された。手塩に掛けて育て上げようとしていた新人俳優を、あっさりとホストに潰された。

めらめらと怒りの感情が湧いてきた。

殺してやる。流星というホストを殺すしか茉優の恨みを晴らす手段はない。加奈子ははっきりとそう決心した。

「あのビルよね。ちょうど一か月前に石橋茉優という役者が飛び下りたのは」

加奈子は何気に雪彦に聞いた。今日は茉優の最初の月命日だ。遺骨は山形に戻り間もなく先祖代々の墓に納骨されるそうだ。

母親は娘の方が先に先祖になってしまった、と悲嘆に暮れていた。加奈子は供養のつもりで、茉優の生きていた最後の場所に手をあわせようと、花道通りにやってきたのだ。

そこでこのヘアサロンを見つけた。

「そうです、そうです。そんなことありました。役者が飛び下りたのは、先の方のやつですよね」

雪彦は遠い過去のことでも語るような口調だ。指先をリズミカルに動かし、後頭部の方も揉んでくれる。とても気持ちがいい。

「先の方って？」

「二週間ぐらい前にも、飛び下りがあったんですよ。いや、あのビルじゃなくて、さくら通りのビルですけどね。キャバのキャストの女（ひと）」

雪彦は淡々と言っている。

「その方もホストに裏切られて？」

加奈子は背筋を伸ばしながら聞いた。ストレスが極限にまで溜まっているせいか、雪彦の指がとても心地よく感じた。

「たぶんそうでしょうけど、通っていたホスクラのビルからじゃなくて、自分が勤めていた店のあるビルから飛んだようなので、何か別な理由でもあったのかも知れませんね」

「違うわよ。エレナはマサムネや『ブルーノ』に迷惑をかけたくないから、そっちで、飛んだのよ」

いきなり後ろのほうから女性スタイリストの声が飛んできた。斜め後ろの席だ。

黒髪をボブにした小柄な女だった。

ちょうど男性客のブロウを終えたばかりのようだ。アッシュブラウンのセミロンググヘア。ミュージシャンのようだ。

「最後の最後まで、エースとしての意地を通したんだろうな。たいしたもんだよ。俺もそんなエースが欲しい。マコちゃん、サンキュー」

男はそう言い、立ち上がった。ホワイトレザーのジャケットに中はTシャツ。ダメージカラーのジーンズを穿いた脚はとんでもなく長い。

「行ってらっしゃいませ、ミック様。あしたまたお戻りください」

スタイリストのマコが手を振って見送っている。ミック様は颯爽と店を出ていった。まるでロックスターだ。

「ああいう感じのホストもいるんですか」

加奈子は思わず聞いた。

「ヴィジュアルロック系のホスクラですね。いまだに人気があるんです。若いゴスロリ系の子には、アイドル系よりもむしろ王子様なんですね。それと四十五歳以上の往年のヴィジュアルファン。きっとかつて近づけなかった本物のロックスターと飲んでいる気分になれるんでしょうね」

「いわゆるオラオラ系接客というやつ？」

加奈子はライブで客に毒づいていた往年のスターたちを思い浮かべていた。

「いや、そんなホストもう歌舞伎町にはいませんよ。ロックスターもとても優しいって話です」

それは熟女もおちるだろう。

「あそこの『千の旋風』というのはどういうお店だったの？」

流星というホストがいた店はどんなところだったのか気になった。

「アイドル系ですよ」

　雪彦がバスタオルを外した。

　カットしたばかりの髪が鏡に映った。

　ハーフロングだった黒髪をこの際、思い切ってショートにしてもらった。何かを変えなければ、茉優の死を引きずったまま生きていかねばならないような気持ちだったのだ。

「こちらにも来る？」

「来ますよ」

「流星さんって知ってますか？」

「すみません。僕らが特定のホストさんのお名前を出して会話をすることは、出来ないんです。この店の決まりです。いろんな店のホストさんがくるので、下手なことをいうと内輪揉めの種になっちゃうもんで」

「なるほど……」

　さすがは歌舞伎町のど真ん中にあるヘアサロンだ。

「お客さんは西新宿の方のＯＬさんですか？　あっ、すみません、今度は僕が立ち入りましたね。ここには昼職の方ってめったにこないものですから、ついどうしてかなっておもって」

　雪彦が謝ってきた。

　加奈子は今日も黒のパンツスーツだ。それに大きなビジネスバッグをぶら下げてきている。どうみても水商売には見えないだろう。

「いいのよ。昼職は昼職だけど芸能事務所の裏方だから仕事は夜が中心。なんとなく水商売の黒服さんみたいな仕事だからね」

　自分で言って笑った。言いえて妙だと思った。

「そうなんですか。本物のスターと一緒に仕事をしているって凄いですね」

　頭頂部にドライヤーの風が当たり、雪彦の指で髪の毛の掻(か)きまわされる。まるで綿菓子でもつくるように、ふわふわと髪の毛を膨らませていく。

「羽生さんの指の動きって、ほんと華麗ね」

「ありがとうございます。ここにいると、ブロウの腕が上がるのは確かです。とにかく早く、かっこよくが至上命令ですから」

　雪彦の手の動きが早くなる。髪の根元を揺さぶるようにして撫でながら、ドライヤーの尖端(せんたん)も振っている。髪は暴れるが、急ピッチで整っていく。長らく通っている荻窪(おぎくぼ)の美容室とはどこか違う、あか抜けたヘアスタイルに仕上げられつつあるようだ。

「ブロウの腕前もさすがだけれど、さっきの頭皮マッサージも凄くよかった。私、ちょっとストレス溜まっていて、あちこちゴリゴリになっているんだけど、頭だけはすっきりしたわ」

　加奈子は笑顔を見せた。

「雪さんは、マッサージ師の資格もありますから、当然ですよ」

　背後からマコがそう声をかけてくる。

「はい、そうです。指圧師の国家資格は持っていますよ。といってもここに来るお客さんに、出張でごく個人的に施術するだけですけどね。本職はあくまで美容師ですから」

「美容師と指圧師の双方の資格を持っているって、たいしたものね。生涯、食いっぱぐれなさそう。ねぇ、私も揉んでもらえない？」

　ストレスで身体中が凝っているのも事実だが『千の旋風』や流星に関することを聞きだしたいのも事実だ。場所が変われば、なにか教えてくれるかもしれない。

「今日はもうだめですが、明日は休業日ですから、昼過ぎなら出来ますが」

「お願いしたいわ。どうすればいい？」

「昼の一時にこのビルの前で待ち合わせましょうか」

「いいわよ。で料金は？」

「六十分で六千円です。指圧師の相場です。ですが、場所代は持っていただけますか。日頃はここら辺に住んでいる人の家に直接出向くものですから」

「あっ、そっか」

加奈子はどうしようかと思った。

「あっち側のホテル、休憩なら三千円ぐらいの部屋いくらでもありますよ。ビジホを取るよりたぶん全然安上がりです」

マコが通りの向こう側を指さした。ホスクラのビルボードが並ぶ向こう側は、紛うことなきラブホ街だ。

さすがに躊躇いはあるが、雪彦は堅実でジェントルな男に思えた。そして心のどこかでは、やられるのなら、それでもいいという思いもあった。

三十八歳。ずっとやっていない。

「羽生君はそういうところでも平気なの？」

「僕は一向にかまいませんよ。実際、ラブホで何度も施術したことがあります」

雪彦が笑った。実に爽やかな笑顔で。

いかがわしい関係にはなれそうにない感じだ。

「じゃぁ、それで決まり」

ちょうどそこでブロウも終わった。

と、逆側の列のずっと奥でブロウしてもらっていた女性客が突然立ち上がり、喚（わめ）きだした。

「私、もうだめっ。いやなのっ、こんな毎日いやなのよっ」

せっかくブロウした頭を掻きむしり、外した黒のケープを床に叩きつけている。阿修羅（あしゅら）のような顔だ。

「どうしたのかしら？」

加奈子は驚いた。

「次は本人が倒れます」

雪彦が冷静な口調で言い、マコも大きく頷（うなず）いた。一秒後、その通りになった。髪を振り乱した客は、盛大に床に倒れ込んだのだ。

「ちょっと、平気なの」

「あのお客さん、三日に一度は倒れます。ちゃんとお尻から落ちていますから大丈夫です。頭は打っていませんからね。歌舞伎町のサロンでは倒れる人、他にも沢山いますよ。メンタルやられちゃっている人ばかりが集まる町ですからね。それでは、ぼくも介抱してきます」

数人のスタイリストが倒れた客の周りに集まり、優しい声をかけながら、ゆっくり抱き起こしている。

ようやくソファに戻したところで、ペットボトルの水をもらい、その客は、目を開けた。そして今度は大声をあげて泣き出した。

雪彦が戻ってきた。

「だいたい三分で泣きやみます。自分が大事にされているか確認したいんでしょうね」

歌舞伎町というところは、やっかいな人たちばかりが集まってくるようだ。

4

「新闘会(しんとうかい)の高倉(たかくら)がこの町を締めていた頃は、クソガキが素人を追い込むようなことはさせていなかったはずだがな」

松重豊幸はさくら通りのソープランド『ニューファイト』の個室でマットの上に

うつ伏せになっていた。

「うちの人が逝ってもう七年だもの。歌舞伎町の勢力図も変わったわよ。いまは華岡組の時代。昔みたいに練り歩きが出来るわけでもないし、ヤクザが表だって町を仕切るのは難しい時代になったわ」

ローションをたっぷり塗ったアザミが背後から身体を擦りつけてくる。アザミは新闘会の元若頭、高倉文太(ぶんた)の情婦(イロ)だった女だ。

三十代半ばのはずだ。

五年前、高倉が急性心不全でこの世を去ったのち、この店の経営権を承継しそれなりに暮らしている。

松重がノーアポで訪問すると、フロントに座っていたアザミはすぐに気が付き、事務所ではなく個室に通された。

そこでいきなり服を脱いだアザミは、久しぶりだわ、とかいって真っ裸でローションを泡立て始めた。

経営者になってからは、客の相手はしていないと聞いていたので松重としては度肝を抜かれた。

アザミの身体は肉付きがよく、バストもヒップも巨(おお)きく貫禄(かんろく)があった。まさに魅惑のボディである。

さすがは新宿一の極道の女であったことを窺わせる。

「しかしなんだな。高倉がどっかで見ているようで妙な気分だな」

「私は見せたいのよ、あの人に。この熟れ切った身体をどうしてくれるのよってね」

背中に乳豆が、擦りつけられた。巨粒だ。乳房は弾力があり、ボンボンと押してくるような感触だが、乳豆は硬くコリコリしている。

「けれども刑事とやったんじゃぁ、高倉も目くじらを立てるだろう」

松重は、二十年もの間、この歌舞伎町でパクったり、裏を掻かれたりしあった仲の大侠客を懐かしく思った。

結局、新闘会は松重たちの歌舞伎町浄化作戦後、自主的に解散。高倉はソープランドの経営者になり、呑気に暮らしていたが、その二年後に心不全でぽっくり逝った。

享年五十四。

数々の修羅場を乗り越え、銃弾を受けても死ななかった男が、自分の店のソープ嬢と3Pを愉しんでいる最中に急性心不全であっけなく逝ったという。

人生とはそんなものかもしれない。

「死んだときの3Pに、あたしが入っていなかったのが癪に障ってしょうがないのよ。あぁ、あの日、なんで私もパンツ脱いで、あの中に入らなかったんだろうって。それはもう、悔やんでも、悔やんでも、悔やみきれないよ。あの人はおまえも来いっていってたのにね。店の女の子の手前、ちょっとかっこつけちゃった」

とアザミは腰を動かしてきた。

松重の尻山に陰毛が擦れる。ねばつくようなローションと陰毛の感触で、マットに触れている男根がむくむくと起き上がってきた。

「俺は高倉ほどタフじゃねぇぞ」

「高倉もタフじゃなかったわよ。拳銃と同じ早撃ちでね……どっちかといえば回数の人……」

とアザミは松重の背中、尻、脹脛と身体の裏側に密着し、泳ぐように動かしてきた。

ねちゃくちゃとローションがぬめる。乳豆とまん毛の感触がもどかしくも、じわじわと性欲を掻き立ててくる。

「新闘会は解散したが、若い衆たちに半グレ集団『ミゼル』を作らせただろう。そこはホストは仕切っていないのか」

　脳が桃色に染まりだしてきたが、そういうことが聞きたくてここに来たはずだった。

「金子銀次っていう当時は高倉の運転手だった男が、いまはスカウト会社をやっているわ。いまはキャバや風俗嬢よりもホストの引き抜きが激しくなっているのよ。相手は華岡組の息のかかったスカウト会社。確か『サッズ』っていう連中よ。去年もゴジラロードで、どっちが先に声をかけたかで、バール持って殴り合いだよ。これはいずれもっと大きな抗争になるわね」

　アザミが言いながら両手を松重の乳首に回してきた。

　マットと松重の胸板との間に、まったくこちらが気が付かない間に、忍びこんできている。

　ソープのプロのテクニックの凄さとは、客が気づく前に、次の展開に持ち込んでくるところだ。

「おぅ」

　ぬるぬるとした指で乳首を摘まんだり、押したりする。気持ちよすぎて背中を反らされた。マットの上で金の鯱状態だ。

「あうぅうう。ホストの稼ぐ上前を撥ねていたほうが、風俗嬢をスカウトするよりも美味しいってことか」

松重は喘ぎながらも、ホストクラブの売り上げの大きさを実感した。

これまで歌舞伎町のスカウトといえば、キャバ嬢か風俗嬢と相場は決まっていた。それがいまはスカウトたちの目もホストに向いている。

ソープ嬢で億稼ぐ女は少ないが、ホストならざらにいるという。ヤクザも半グレもしのぎとしてホストのスカウト、引き抜きに血眼になる。

「結局、いいホストを捕まえたら女も手に入るのよ。近頃じゃうちの店にも、ホスクラ経由で落ちてくるOLや看護師が増えたもの」

ねちねちと乳首を弄りながら、アザミが教えてくれた。

「その銀次というのと、会う段取りは出来るかい。んんんっ」

松重は歯を食いしばりながら聞いた。乳首が蕩けそうなほど、責め立てられているのだ。男根は釘でも叩けそうなほど硬くなっている。

「高倉のマブダチから頼むといわれたら断れないわね」

その瞬間、すっとアザミの手が引いて、次の瞬間、身体をずるっとひっくりかえされた。

「まぁ、バナナみたいに反っちゃって。高倉より大きいっ」

アザミはそう言いながら、その反りかえった男根に顔を向け、上に乗ってきた。

視界の先に、ローションまみれの巨尻が浮かんでいる。

両脚が開く。真ん中にピンクの亀裂が見えた。ここもローションまみれだ。

アザミが上のシックスナインだ。

「んはっ」

ローションを流すためのお湯を亀頭にかけられ、松重は間抜けな声をあげさせられた。

アザミが平泳ぎでもするように、身体を前後させるので、松重の目の前でおまん処が行ったり来たりする。時々、どアップになるほど近づいてきた。

亀裂の中から具肉が溢れ、ぐちゃぐちゃになっていた。もはや脳ミソが淫欲塗(まみ)れになり、意識せずとも男根がビクンビクンと揺れた。

亀頭がアザミの舌で舐め尽くされる。

ここしばらく、ほとんどその気になったことがなかった逸物(いちもつ)だが、プロフェッショナルの巧みのテクニックはさすがと呼ぶしかなく、松重はただただ、うめき声を上げ続けることになった。

ときおり手のひらで亀頭のてっぺんを撫でまわされ、同時に睾丸をやわやわと握られる。もうこらえきれなかった。

「うっ」

と叫び、噴き上げた。アザミがすぐに口に咥え込み、さらに噴き上げられように亀頭の裏側を執拗に舐め上げてきた。

「あううううう」

松重は情けないほど大きな声を上げさせられた。

「ソープではかっこつけることないよ。刑事もヤクザも校長先生も、嬉し泣きしながら発射するところだから」

アザミにじゅるっ、じゅるっ、と舐められた。精汁を絞りだすように棹の根元から亀頭に向けてきつく握った手筒をあげてくる。

「ぐわぁあああ」

松重は身も世もなく、尻を痙攣させながら精汁を、細切れに発射し続けた。一気にどばっと出ないのは、加齢のせいだ。いまは一波、二波、三波と、精汁は分かれて飛ぶ。

「んがぁぁああ」

全部出た。アザミがごくごくと飲んでいる。

肩と脚をがくがくとふるわせていると、アザミは再び、身体をくるりと入れ替えて、顔を松重に向けてくる。

「まだ入れてないから」

小悪魔のような瞳が艶っぽく笑う。

「いや、もう無理だから」

「大丈夫、全部私がやる」

アザミは乳首を舐めしゃぶりながら、後ろに回した手で、萎え始めている肉茎を握り締めてくる。玉袋もあやされた。

「無理だぁ」

と言いながらも、吸盤のようになった唇で乳暈（にゅううん）ごと吸い取られ、しこらせた舌でべろべろやられると、もう気持ちよすぎて下半身が自然に疼いてくる。

雁（かり）の下や、裏筋の一番敏感な部分を人差し指で執拗に擦り立てられると、もうたまらず、マットの上でのたうち回った。

「うぅうう」

「ほらね。すぐに勃ってきた」

プロの技、恐るべしである。

アザミは、乳首を交互に舐めたまま、流れるような動作で上に跨り、肉槍の尖端を股間にあてがうと、瞬く間に膣の中に飲み込んでしまった。

ぎゅっと締められる。

「銀次とのアポは今夜のうちに入れておくから、松っさんは、もう一回出して、さっぱりしなさいな」

「あぁ、アポの件は頼む……うぅうう」

アザミの膣壁が波を打つように肉胴を刺激してくるので、こたえるのがやっとだ。

「高倉がね、松っさんのこと、刑事を定年退職したら、兄弟盃を交わしたいってよく言ってたのよ」

アザミが上で腰を振りながら、しみじみと言った。

「そうか。あと三年ぐらい待ってくれたらよかったのにな」

「でも、こうやって弟になってくれたじゃないっ」

アザミは嬉しそうに膣壺を締め付け、腰を激しく振り始めた。

いつの間にか、商売抜きだとわかる動きに変わった。

「松っさん。供養だと思って、思い切り抜き差ししてよ。私、まだあの人のことが忘れられないんだよっ。思い出させておくれ」

涙を浮かべてせがまれた。

「あぁ、俺と高倉は戦友みたいなもんだった」

松重は正常位になり猛然と腰を振った。

歌舞伎町の男と女は、みんな訳アリで、この町の内側(なか)の人間にしかわからない喜怒哀楽がある。

刑事もヤクザも娼婦(しょうふ)もへったくれもない。

この歌舞伎町の住人は精汁と血に塗れて生きている。

その夜、松重は年甲斐(としがい)もなく三度も射精した。

第三章　女風の罠

1

　梅雨明け間近て、見事に晴れ上がっているというのに、花道通りはやけにくすんで見えた。

　太陽の日差しを受ければ受けるほど輝くのが海辺のリゾート地なら、明るいほどにボロが見えるのが歓楽街というものだろう。

　夜の帳(とばり)が降りて、通りにネオンが灯(とも)ってはじめて、この通りは生命を得るのだろう。ライトが入らないと、ただの工事現場でしかないスタジオのセットと似ている。

　つまりはどちらも虚飾。

　黒崎加奈子はそんなことを思いながらヘアサロン『美・サイレント』のあるビル

前で羽生雪彦が来るのを待った。

雪彦は加奈子が指定した通りの午後一時にやってきた。ドジャーブルーのポロシャツにベージュのハーフパンツというカリフォルニアスタイルだ。

手にしているUCLAのロゴ入りボストンバッグもレトロで粋だ。

「休日ですからこんな格好ですみません」

「仕事をするときはニューヨーカー、休日はカリフォルニアボーイズって、センスの良さを見せつけてくれるわね」

「黒崎さんも今日は素敵なワンピースですね。昨日の印象と全然違います。そのシックなワンピース、黒崎さんの顔立ちやスタイルにとてもマッチしています」

雪彦が白い歯を見せて笑った。

顔や服を褒められて悪い気がする女はいない。加奈子は、芸能界の黒子であることも忘れて、すっかり有頂天になった。

仕事一筋だった。

大学を卒業し、芸能事務所に就職したのは、この業界が全く男女差別がなかったからだ。

進駐軍のキャンプにジャズマンたちを送り出すことからはじめ、テレビ時代の幕開けと共に、芸能界の近代化に尽くしたひとりは、かつてロカビリーマダムと呼ばれた女性だ。

　また圧倒的多数の少年アイドルを擁し、テレビ局の編成そのものまでをも差配した事務所は、タレントの発掘を弟が、売り出しは姉がやるという体制で、約六十年にわたり日本の芸能界に君臨していた。

　名誉会長を務めた姉の方は、芸能界の女帝と呼ばれたままこの世を去った。

　そうした先駆者たちのおかげか、芸能界には戦後間もなくから女性スタッフが働く下地があったわけだ。

　男女も同性愛者も国籍も仕事をするうえではまったく関係なし。それはタレント側だけではなく、スタッフも同様の業界なのだ。

　加奈子はビッグクラスと呼ばれる俳優の付き人を二年務めたのち、宣伝担当としてテレビ局のワイドショーやスポーツ紙の芸能記者たちへの売込みを学ばされた。

　働き方改革など無視し、自己責任で深夜も休日も働いた。

　無名の新人を有名にするのは楽しい仕事だった。

　そしてタレントを引き立てるため、自分はいつも黒のパンツスーツばかりだった。髪はひっつめがほとんどだ。

この商売を続ける以上、みずからが着飾るということはありえないと思っていたからだ。

全身ブランド品に包まれて、高級車の後部ドアからゆっくりと降りる日が来たならば、それは自分が事務所のオーナーになったときだろうとおぼろげに思っていた。

なのに、今日はどうしたことか、家を出るときに気合が入った。オールド・イングランドのフラワープリントのワンピースを着てきた。

スタイリストの東川邦子（ひがしがわくにこ）が『たまには派手なものも着なよ』と、一年前の誕生日にプレゼントしてくれたものだが、今日まで袖を通す機会には恵まれなかった。

茉優の一件からまだ立ち直れていないのに、こんな華やかなワンピースを手に取ってしまったのは、雪彦によく見られたいという心の表れに他ならない。

下着も昨日の夕方、新宿の百貨店で新調していた。

そんな自分が不思議でならない。

「こんな真っ昼間にラブホ街を歩くって、なんだか恥ずかしいわ」

加奈子は二丁目の方を見やりながら照れ笑いを浮かべた。

「たぶんそう言われると思って、あらかじめ目星をつけておきました。二時間三千円ですがいいですか」

「施術料と合わせて九千円だから問題ないわ」

ふたりで花道通りを渡り、二丁目のラブホ街へと向かった。理由は判然としないが、加奈子はなんだか結界を渡ったような気がした。

同じ歌舞伎町でも一丁目と二丁目ではまったく様相が異なるからだ。花道通りは、その結界線のような役割をしているのだ。

二丁目に入るなり、日差しが翳り、淫らな匂いが漂ってくる。一丁目の享楽に対して二丁目はとことん淫靡だ。

途中、欠伸をしたホストとすれ違う。化粧がはげ落ち、目にはクマが出来ている。

「色恋の掛け持ちだったのでしょうね。ほんとホストさんたちは大変だ」

雪彦が同情的にいう。

彼にとってホストさん、キャストさんは大事な顧客なのだろう。必ず「さん」をつけて呼ぶ。

「女の子は放置して帰るの？」

「たぶん、きりがないからですよ。ホストさんたちはそろそろサウナでマッサージをして少し眠る時間です。熟睡したらヘアサロンでセット。それから同伴客と食事ですから大変です。あっ、ここです」

不意に雪彦が宮殿のような入り口のホテルの前で止まった。

部屋を選ぶパネルの前に立つのは初めてだった。入ったことはあるが、いつもパートナーが操作をしているのをながめていただけだった。こうして雪彦を立たせたまま自分が部屋を選んでいると、男を買った有閑マダムのような気分になる。

建物自体は相当古そうなホテルだったが、選んだ部屋は今風にリニューアルされていた。普通のホテルならジュニアスイートといった感じの広さで、照明が全灯になっているせいか、妙に明るかった。

雪彦はベッドに進むとすぐにカバーをはがし、シーツの上に大きなバスタオルを敷いた。淡々とマッサージの準備を始めている。

「着替えますか？」

ぱんぱんとベッドマットを叩いて振り返った。

「あっ、そうか着替えとか持ってこなくちゃいけなかったんだ」

加奈子は軽く額に手を当てた。ジャージとか持ってくるべきであったが、何も持ってきていない。

「ワンピースの上からというのはやりにくいですね。上からバスタオルを掛けますが、こんなところで下着姿になるのって、抵抗ありますよね」

雪彦が頭を掻(か)いている。

加奈子は数秒逡巡(しゅんじゅん)したが、結論はすでに出ていた。

昨日、下着を新調したではないか。それもシルクの高級品。ショーツにはバックレースが入っている。もちろんお尻を見られても品よく思われたいからだ。

「マッサージをしてもらいに来たんだから、別に下着になってもいいわよ。下着を脱ぐわけでもないし」

「はい、そしたら僕はバスルームに入りますから、ワンピースを脱いで、バスタオルを背中にかけたら、声をかけてください」

雪彦がバスルームに消えた。加奈子は言われたとおり、下着姿になりベッドにうつ伏せになった。大型のバスタオルを背中に掛ける。首から脹脛(ふくらはぎ)まですっぽり覆ったところで、準備ＯＫの声をかけた。

すぐに雪彦が出てくる気配を感じた。この瞬間になぜか股間がもやもやしてきたから、なんて自分は浅ましい女なのだろうと思った。

「ちょっと明るすぎますね。少し照明落としますね」

そんな声と共に、部屋の明るさが半分以下に落とされた。ラブホなのに健康的過ぎるではないかと感じていた部屋が、突然、淫靡で妖艶なムードになった。

勢い雪彦に男を感じた。

「では揉みますね」

雪彦がベッドに乗る音がして、加奈子の尻山のあたりに跨(またが)ったようだ。ほんのわずかだが、睾丸(こうがん)が触れたような気がした。いや気のせいかも知れない。

右側の首の付け根に親指が当てられた。

軽く押された。

「あんっ」

ピンポイントで押された地点から、背中や腕に向けてピリピリと筋がほぐれるような波が走る。

「痛くないですか？」

「平気よ」

柔らかい枕に顔を押しつけたまま答える。

「なら、この強さでいきます」

雪彦は、右側から徐々に揉(も)んできた。首筋を丁寧にほぐした後は、肩、右腕へと降りてくる。腕は持ち上げられて上腕、下腕、手首まで親指を這(は)わせてくれた。

雪彦の親指の感触は、まるでゴムボールのようで弾力があって、気持ちがいい。

お尻を通り越して太腿（ふともも）の裏側へ指が降りてきた。

「なんかここらへん凄（すご）く張ってますね」

お尻の丘のすぐ下のあたりをくいっ、くいっと押しながら雪彦が言っている。

「ずっと立っていることが多いから……んんんっ」

実際、芸能マネージャーという仕事は、スタジオでもイベントでもとにかく立っていることが多い。踵（かかと）、脹脛、腰は一年中疲れが溜（た）まっており、重い。

「ちょっと痛いかもしれませんが、突っ張っているところをほぐしますね。この辺りの血流が悪くなっているので、余計に脚が重く感じるんですよ」

「そうかも……」

答える声が掠（かす）れていた。太腿と尻山の間を押されていると、びびびっとイタキモチイイ電波のようなものが、そこら中に飛び広がり、股の間にまで伝わってくるのだ。いやらしい刺激では決してないのだが、微妙なバイブレーションなのだ。

決して指が、内側に滑り込んでこないのも、どこかもどかしい。愛撫（あいぶ）ではなくマッサージなのだから、アソコには近づいてこないのが当たり前なのだが、身体（からだ）の真ん中は、じゅくじゅくと潤み始めていた。

雪彦の指が徐々にアソコから離れたポイントに下がっていく。

よけいに股座が疼いてしまう。

脹脛は軽く押されただけでも悲鳴を上げるほど凝っていた。

「あぁああ、痛いっ。でもそのままやってちょうだい」

「いやこれ、これ半端なさすぎですね」

雪彦の指が丁寧に脹脛を揉みだした。多少、足が暴れるので、バスタオルが右側にずれてお尻が半分見えてしまうようになる。

そのたびに雪彦がバスタオルを直してくれるのだが、またすぐずれる。

「お尻、見えても私は平気だから。羽生君が迷惑じゃなきゃ」

「迷惑なわけないですよ。素敵なショーツですね。お洒落なレースです。高そうですね」

自慢したかったレースと高級感を褒められて、加奈子はますますいい気分になった。脹脛のコリをほぐしてくれた雪彦の手が、踵を持ち上げた。

くちゅっ、と音を立てて股も引き攣れた。

雪彦は持ち上げた踵を叩いたり、親指と人指し指で踵の外側を揉んだりしてくれているのだが、その視線がどこを向いているのか気になった。

いま加奈子はバレリーナが後ろに足を跳ね上げているようなポーズを取っている。

股間がはっきり広がっているはずだった。

しかも股布は割れ目に食い込んでいるのが自分でもわかる。果たして雪彦はそれを見ているだろうか。

想像しただけで、アソコがヒクついた。亀裂にさらに股布を食い込ませることになる。加奈子は歯嚙みした。

右足が終わると、雪彦は膝を進めてきて、再び首筋に手を伸ばす。今度は左側だ。

「はうぅ」

右側のときと同様、痛感と快感が同時に肩や背中に飛び散る。

その後、雪彦は右側と同じ手順で、手技を施していく。

お尻の山の裾に指が伸びてきたときは、ぞくぞくした。あと数センチ内側に近づけば、女が泣いて悦ぶ急所なのだ。

もちろん指は近づかない。けれども亀裂の中の花はのたうち回っていた。

太腿から脹脛へ進み、左側の踵が持ち上げられると、股座がうねうねと蠢動し、匂い立ってしまいそうだ。

たぶん股布はべっちょべちょ。

加奈子は恥ずかしさで、顔を枕に埋めるしかなかった。雪彦は何も言わない。咳払いひとつしない。

施術が終われば、加奈子も何食わぬ顔でワンピースを着て、とっとと帰るのだが、雪彦の記憶には、濡れた股布が残るかと思うと、二度とあのヘアサロンにはいけない気がした。

これっきりなら多少の醜態はどうでもいいわ。そんな思いも鎌首をもたげてくる。

「背中、いきます」

左右を終えた雪彦が、加奈子の尻のあたりに跨ってきた。

たぶん蟹股になって尻山の上に軽く座っている。従って、今度ははっきり睾丸の感触がわかった。

ハーフパンツに押し込められた柔らかい球体が、軽く尻の割れ目の上の方に当たる。加奈子はぞくぞくさせられた。

「ブラジャーしたままで、苦しくないですか？」

「あっ、ちょっと苦しい。外していいの？」

実を言うと、うつ伏せになっている間中、カップの縁が押し付けられて苦しかったし、乳首が微妙に擦れて妙な快感を得ていた。それも濡れた理由のひとつだ。

「もちろんですよ。僕がとってもいいですか？」

「お願い……」

加奈子は雪彦にホックを外してもらうことが、なぜかうれしくてたまらなかった。

外されたブラジャーを雪彦は丁寧にたたんで、枕元に置いてくれた。

カップからいやらしい匂いが漂ってくる。乳首は恥ずかしいほどにしこり勃っていた。

「背中も鉄板のように固いですね」

雪彦の親指が肩甲骨のあたりに深く入り込んできた。重い皮が剝がれていくようだ。

「ぁあ、気持ちいい。そこもほぐして。なんだかとても身体が軽くなってきたようよ。羽生君、本当にマッサージうまいよ」

「ありがとうございます」

甲冑を纏っていたように重かった肩や背中が、雪彦の指でかなり楽になってきたが、コリが剝がれてくると、よけいに雪彦の指を愛撫のように感じてしまう。

ベッドに押しつけた乳房がいっそうぐにゃぐにゃと揺れ、腫れあがった乳首などはシーツに擦れるたびに、快美感に包まれた。

「あふっ、そこ……」

気が付けば雪彦の手が左右の脇の下を潜り、乳房の真横を揉んでいた。通称横乳。加奈子はそこが弱い。

「はい、スペンス乳腺を揉んでいます。ここはリンパ管や神経が集中的に通っているところなので、血行がよくなります」

雪彦がやわやわと揉んできた。

「あうんっ、はうぅうう。気持ちよすぎる」

加奈子にとってはそこは性感帯であるのだが、それを告白する勇気はない。オナニーをするときも、陰毛の逆撫でと共に、挿入時（そうにゅうじ）にここを揉んでいるのだ。じわじわと追い立てられた。

横乳から脇腹辺りまで、雪彦の手は上下する。総身がぞわぞわとしてきて、加奈子はあられもなくヒップをくねらせた。

「あぁあん、気持ちいい」

横乳と脇腹ばかりを撫でられているのに、全神経が乳首と股間に向かいだした。乳首やクリトリスを触って欲しくてしょうがないのだ。

「黒崎さん、アロマローション使いますか？　筋肉はかなりほぐれましたから、血液の流れをもっとよくしたら身体が温まるようになります。女の人はだいたい冷え性でしょうから。それもコリの原因で」

雪彦がそう言った。癪に障るほど落ち着いた声だ。

「うん、やってもらおうかしら……」

加奈子も出来るだけ落ち着いて答えたつもりだが、声は完全に上擦っていた。

「ローション用意しますけど、パンツどうしますか？　濡れちゃいますけど」

「自販機で買うわ」

そっけなく言った。

パンツどうしますか？　と聞かれただけで、もう頭の中はエロさで満杯になっているのだ。それ以上何か話したら、おっぱいもアソコもぐちゃぐちゃにして、とかとんでもないことを言ってしまいそうだ。

ローションを取り出した雪彦が加奈子の背中からバスタオルを外すと、いきなりホワイトシルクのショーツのストリングスに指をかけてきた。

――えっ？

加奈子は焦った。ショーツはてっきり自分で脱ぐものだと思っていたからだ。

「恥ずかしいわ」

そう言いながらも雪彦が脱がせやすいように、尻を浮かせている自分がいた。

——見られているっ。

胸底で思わずそう呟いた。

ショーツが尻から引き抜かれていく。

「いやんっ」

股間にべったり貼りついていたクロッチが、シールのように剝がされた。

雪彦は何も言わずに、そのショーツをブラジャーの横に置いた。しかも小さくたたんだうえでだ。

枕元にまん臭がどっと溢れて、噎せ返りそうになる。

背中にアロマオイルが落ちる。ラベンダーの香りのするオイルだ。生温かい液体が背骨にそって尻の割れ目にまで注がれていく。

「あんっ」

お尻の穴にまでローションが入っていった。

2

明らかに異変を感じたのは、雪彦の人差し指が、左右の乳暈にまで触れだしたときだ。あきらかに乳房も揉んでいた。乳を搾りだすように、ふもとから頂点へと揉み上げてくる。それで乳暈で止まるのだ。

「えっ、あひゃっ」

そこはリンパとは関係ないでしょう、というべきところなのに、その言葉が出ない。それどころか、乳首はポップコーンのように腫れあがり、疼いて、疼いてしょうがない。

これは蟻地獄だ。脳がおかしくなりそうだ。

「あうぅう。羽生君、乳首も、乳首も揉んでよっ」

遂にはそう口走ってしまった。

「えっ、そんなことしていいんですか?」

雪彦の手が突然、止まる。

乳首とクリトリスがもうどうにもならないくらい疼いており、加奈子はパニックを起こしていた。

「いいのよ。さっさと乳首を揉んでっ」

狂乱とはこのことだ。

自分は果たして、これほどスケベな女だったのか。

「確認ですが、黒崎さんが、エッチなこともして欲しいというんですよね」

この期に及んでも、雪彦はまだそんなことを言っている。きっとはじめからこうなることを予期していたに違いない。

加奈子の方も期待していなかったといえば嘘になる。

「そうよ。私がお願いしているのよ。乳首ももみもみしてっ」

言ったとたんに、両方の乳首をぎゅっと潰すように摘まれた。

「あぁあああああああああああああああっ」

一発で昇天させられた。

乳首イキというものが存在することはネットのエロ動画で知っていたが、自分でイクのは初めてだった。

脳から煙が出たのではないかというほどの感じようだ。

「あひゃっ、うわっ、いいっ」

そのまま乳首を右や左に捩じられ、きゅーんと引っ張られるたびにのたうちまわらされた。

「ふぅっ」

雪彦がひと息ついた。

続けざまに絶頂を得た加奈子は、うつ伏せのままゼイゼイと息を吐き、ただただ朦朧としていた。

わずかな間があって、今度は尻山を揉まれ始めた。ここも凄く感じる。尻山を左右に割るように揉まれたり、太腿へ流れるカーブの部分を押し上げたりすると、いい具合にヴァギナやクリトリスが刺激されて、じわじわと快感が湧き上がってくるのだ。

たぶん女の裂け目は、アロマオイルと満蜜でぐちゃぐちゃになっているはずだ。

枕に押しつけたまま瞑っている瞼の裏に、いつか見たエロ動画の映像が浮かぶ。男優が人妻役の女優の股を開いて『奥さん、ぐちゃまん、ですね』と言っている無修正動画だ。

いまの自分の裂け目は、あんなふうに桃色の花が捩じれ、孔はヒクつき、透明ではなく白い精子のような液を溢れさせているのではないだろうか。

恥ずかし過ぎる。けれども、やめてと叫ぶ気には到底なれない。行きつく先までたどり着かなければ、もうこのマッサージを切り上げようがなかった。

遂に雪彦の親指が太腿の付け根に降りてきた。

「ここもリンパ腺の腫れやすいところですから」

と外陰唇の周りをじわじわと押される。

クリトリスが勃起した。もう濡れているなんてものではない。肉処から溶岩のように蜜がどろどろと流れ落ちている。

「んんんんっ」

加奈子はシーツを摑んだ。枕によだれがべっとりついている。上も下ももうだらだらだ。触られてもいないのに、クリトリスが破裂しそうだ。

「んわっ」

寝返りを打った。バスタオルがはらりと取れ、裸体が仰向けになる。ハーフパンツの股間をこんもり膨らませた雪彦の姿が目に入る。一気に発情が頂点に達した。

「羽生君、中を掻きまわしてっ」

とんでもないことを口走っていた。

「それも黒崎さんのオーダーですよね」

この状態でも雪彦は念を押してくる。いちいちもどかしい。

「そうよ、私のオーダーよっ」

ほとんど錯乱状態に陥り、加奈子は雪彦の股間に指を伸ばした。セックスをしたいということしか頭に浮かばないのだ。

「いや、僕のはまずいですよ」

雪彦は腰を退いた。その代わりにという感じで、肉処に指を這わしてきた。期待に鳥肌が立つ。弾力のある指で花を大きくくつろげられ、すでに包皮から顔を出している肉芽を軽く撫でられた。

「あっあああああああああああっ」

乳豆をつねられたときの百倍の快感が総身に走った。みずから腰を持ち上げて、もっとやってとねだる。

「中も苛めて」

軽蔑していたはずのビッチのような言いようだ。

「本当にいいんですね」

と雪彦は、今度は言うなり指を秘孔に滑り込ませてきた。ヘアスタイリストであり、指圧師でもある雪彦の指は爪を短く切ってあるので、鋭敏ではなく丸味のある感触だ。

人差し指の指腹で、膣壁を摩擦された。頭皮をマッサージしてくれたときと同じ指の動かし方で、粘膜を丁寧に撫でまわしてくれる。

これまで寝た男たちは、それまでどんなに優しい愛撫をしていても、いったん指を挿入すると、ガシガシと掻きまわしたり二本差しで猛烈にピストンをしてきたものだ。肉茎と同じように激しく出し入れをしたほうが女が悦ぶと思っているのだろうが、どの女も同じではない。

加奈子が感じるポイントは子宮頸部（ポルチオ）だ。指では届かない。

雪彦はピストンはしなかった。Ｇスポットを攻め立てるような下品な真似（まね）もしない。丁寧に、懇切丁寧にむしろ女がじれったくなるように、膣の柔肉をさらに蕩けさせるように撫でまわしている。

このため息が出るような膣愛撫には、

「入れてっ」

と叫ぶしかなかった。

「喜んで」

と、雪彦が服を脱ぎだしたときには、失禁してしまうのではないかと思うほど嬉（うれ）しかった。

細身の雪彦からは想像できないほどの太くて長い肉茎が現れた。怖れおののくほどの大きさだ。

雪彦の柔和な顔立ちとは異なり、正面から見る亀頭の様相は、邪悪で禍々（まがまが）しいとしか言いようがなかった。

雪彦がふたりいるようであった。

「サロンには、内緒にしてくださいね」

優しい顔がそう言い、邪悪な亀頭が秘孔にずるりと潜り込んできた。まんべんなく指で愛撫され、ぬるぬるになっている膣層を、鰓（えら）を広げた肉棒がずいずい這入（はい）ってきた。正常位だ。

「あっ、あーんっ」

加奈子は顎をあげ、顔をくしゃくしゃにしながら、サラミソセージのような肉を受け容（い）れた。

ずどんと子宮に当たる。雪彦は体重をかけてきた。

子宮口の全体を亀頭が押してくる。

「あぁああ、そこなのよ、そこがいいのっ」

「ツボですよね」

雪彦は出し入れなどせずに、ぐいぐいと硬い亀頭でくにゃくにゃしているはずの子宮口を押してくる。

五秒、八秒、十秒。そのぐらいの間、押し続けられた。

「いくぅうううううううう」

生れてはじめての中イキだった。

乳首イキに中イキを立て続けにくらい、加奈子はもうこの男を手放せないと確信した。

いつの間にか茉優のことなど、頭から消えてしまっている。極上のセックスとは、そういうものだった。

3

一週間後のことだった。

新宿駅東口に近いビルの二階にある大正ロマン風の珈琲店。

松重はガムを嚙みながら、半グレ集団『ミゼル』の幹部、銀次を睨みつけた。

「マルボウが言うのもなんだが、結局のところ極道が仕切れなくなったから、この町のタガが緩んじまったんじゃねぇのか？」

「確かに、その通りですよ。でもそれは、そっちのせいでしょう。暴対法とか暴排条例とかで極道を縛りつけて動きをとれなくした。いまでも新闘会がカブキを仕切っていたら、ホストなんて小さくなってますよ。そもそも女をパシタにして貢がせるのは、俺たちの稼業のひとつだったんだ。それを堅気が取り上げた」

札幌へのスカウト出張から戻ったばかりだという銀次がまくして立てた。

高倉についていただけあって三十そこそこのくせに貫禄がある。

だが、コーヒーカップと並ぶ、抹茶のシフォンケーキはどうもいただけない。

暴力を背景にして生きている者は甘味など好むな、といいたい。

それにこの珈琲店、やけに小洒落ていて新宿のビジネスマンというよりOLやいわゆるママ友といわれる一般人の主婦客が多い。

トー横にたむろしているようなガーリー系の服をきた少女たちもみかけない。松重からすれば、メイドのような格好のあの子たちは、この大正ロマン風の珈琲店がマッチしているように思えるのだが。

靖国通りを挟んで歌舞伎町と新宿三丁目ではもはや生息している人種も違うということなのだろう。

松重としてはここが『談話室　滝沢』だった頃が懐かしい。

閉店して二十年近く経つが、マルボウの駆け出しだった頃によくヤクザの面割に張り込んでいた喫茶店だ。石灯籠や箱庭があり、コーヒーは当時としてはべらぼうに高い、一杯千円。雑誌編集者や演劇関係者が、会議室代わりによく打ち合わせをしていた光景を思い出す。

一方で極道も多くたむろしていた。たむろはしていたが、極道たちは一般人を威嚇することなどなく、むしろ自分たちのしのぎの相談を、顔を突き合わせてしあっていたものだ。

極道と堅気が共生していた時代の話だ。すくなくとも歌舞伎町では共生が出来ていたはずで、そのために堅気が安心して遊べた時代でもあった。

「おまえらの『ミゼル』はまだ準暴力団にも指定されていない。他の団体に対抗させるために警視庁も大目にみているってこったぜ」

松重は遠回しな言い方をした。

「俺らにイヌになれってことですか」

「それは卑屈な受け取り方だ。おまえらのルーツだった新闘会は任侠団体として与党ヤクザを標榜していた。高倉と俺はそれを察俠連合と呼んでいた。歌舞伎町のためなら、あるときは手は組む。そいつが終わったらまた刑事と極道の関係に戻る」

ガムをティッシュに吐き出し、コーヒーを一口飲んだ。煙草が吸いたい。が、喫煙席ではない。銀次が煙草の匂いがだめだという。まったくいまどきの不良はいまひとつ無頼なところがない。

「銀次、おまえ何で煙草を吸わないんだ？」

苛立って聞いた。

「若頭の運転手をやっていた頃に、車で吸うわけにはいかないので、堪えているうちに平気になりました。やめると人の流す煙もうざくなります。そもそも吸わないに限るでしょう。毒です」

銀次が喫煙者を憐れむような眼をした。

「まぁ煙草の話はいい。ホスクラの話だ。素人が大借金を背負って立ちんぼになったり、こうも自殺者が増えたんじゃ、国も潰しに出るしかねぇ。ちょっくら状況を聞かせてくれねぇか」

「客が自殺したぐらい、ホストは何とも思っていないですよ。だいたい切りたくなった女がダイブしちゃうんでね。やつらはだいたいその前に、最後の愛情を注いで、とりあえず売り掛けは回収してしまっている。どうってことないんですよ。売り掛けを溜めたまま飛びそうな女には、うまいことといって受取人をホストにした生命保険をかけさせたりしますからね。億じゃ怪しまれますが二千万ぐらいの保険金なら普通でしょ。だいたい売り掛けは一千万までですから」

銀次は生クリームのたっぷりついたシフォンケーキをフォークで大きく切り、ぱくりと食った。

腕の幾何学模様のタトゥーとシフォンケーキは、どう見ても不釣り合いだ。

松重の世代からすると現在の三十歳以下の若者は、すべてがなにかアンバランスなような気がしてならないのだ。

「ホストもそれ以上のリスクを抱えたくねぇと」

「ホストだって命がけなんですよ。路上でてんぱった女にいきなり切りつけられることもある。売り掛け抱えたままトンズラされたら、逆に自分が店に追い込みをかけられる。客を札束としか見ないのはしょうがないでしょう」

銀次はむしろホスト側の立場に立っている。

「つまりホスクラってシステム自体が歪(ゆが)んでいるってことだ。到底払える資力のない客にとんでもない額の金を使わせている。それじゃぁ売春婦の製造工場じゃねぇか。この国がおかしくならない前に、切り刻んでおかなきゃならんだろう」

新しいガムを口に入れた。今度は風船ガムだ。

「国の問題を半グレに相談されてもね」

銀次がシフォンケーキをもう一欠片(ひとかけら)、口に放りこむ。

鼻の下に生クリームが付いた。不格好だ。傷害で五度もパクられた男には見えない。

実は凶暴な半グレが素人と見間違えられるのは、こんなところにもあるのだろう。

「高倉は国の安全保障に関しては、ヤクザとして力を貸したぜ」

松重はちょっと熱くなっていた。

「俺らはいまホスクラからの手数料で食っている。ミゼルの大事な資金源だ。イヌにはなれねぇよ」

嘯（うそぶ）く銀次の顔に松重はグラスの水をかけた。

「目先の利だけ追ってんじゃねぇよ。すくなくとも高倉はこんな事案には、自ら手を貸してくれたもんだ。堅気が安心して遊べなきゃ、カブキの未来は萎（しぼ）むってな」

「ちっ。年寄りは気が短いっすね。誰も協力しないとは言ってませんよ」

銀次がおしぼりを取って顔を吹く。顔に水をかけられたぐらいでいきり立つほど未熟ではないようだ。

顔とテーブルを拭き終えると、いったん深呼吸して、銀次は続けた。

「あんなものは長く続かねぇと思っていますよ。松重の旦那が呼んでいるってアザミ姐（ねえ）さんから聞いたときにピンときましたよ。これはホスクラもいったん地均（じなら）しする時期なんだな、と」

「地均しとはうまい言い方だな」

「ええ、完全になくすのは無理な相談ですよ。客に無茶させずに楽しませている店だってたくさんある。逆に俺から見てもアコギだって思う店もある」

「代表的なのはどこだ？」

訊くと銀次はさすがに躊躇った。サツにチクるような真似はしたくないのだろう。

「客の自殺や刃傷沙汰が多い店っていうのは、だいたい決まっているんです。飛び道具を平気で使う店ですよ」

銀次が窓を見た。ステンドグラスの窓だ。

「クスリか」

「育てて飛ばして一気に色恋営業に持っていく連中です。新規の客が指名してくれれば、速攻で落としにかかる。手間暇かけて育てる客ばかりでは、ホストはやっていけません。資産家の令嬢でもない限り、さっさと風俗に落とさないと金にならないでしょう」

「万里グループっていうのは知っているか」

松重は核心に入った。

いきなり銀次の目が尖った。

「華岡組がケツモチしているほうっす。うちらは万里系にはホスト入れてねぇですよ。サッズの周藤ってのが手配している」

サッズは半グレ集団ではない。スカウト会社だ。

銀次が運営するスカウト会社『ルナ』のライバル関係にある。

「そのビル目がけて、ちょっと前にも連続ドラマに出演し始めたばかりの女優が、飛び下りたようだが」

松重はガムを一度膨らませ、すっとまた窄めた。この珈琲店の上品な雰囲気には似つかわしくない行動に、銀次の方が苦笑いを浮かべた。

おっさん、ここはハンバーガー屋じゃねぇんだという笑い方だ。

「ぁあ、石橋茉優でしょう。売れかかっていた。まさか歌舞伎町の客になっていたとは知りませんでしたね。『千の旋風』でしょ。ホストも店も悔しがっているでしょうね。ざまあみろだ。とはいえ担当ホストは、石橋茉優から芸能界のいろんな情報は引っ張っていると思います。なんとか芸能界とは接近しようとするはずですよ」

銀次がちょっと悔しそうな顔をしている。

「そんなに芸能界はおいしいか？」

「おいしいですよ。有名人を操れたらいろんなメリットが生まれる。地雷女に立ちんぼさせるより、百倍も金を産ませることが出来るんです。まぁ華岡組が積極的にアプローチさせているんだと思いますがね。釣った後は組がいろんな仕掛けを考える。弱みを握ったら、どうにでも出来ます。芸能界だけじゃなく、政界や役所の女なんてのも使い道がありますよ」

銀次が片眉を上げた。

どうやら華岡組はホスクラを食えそうな業界との接点を作るためのインターフェイスにしているようだ。

昔は女を使って男にハニトラを仕掛けたものだが、ホストの流行で逆もいけるようになったということだ。

「華岡組は旭心会の中でも独自の動きだよな。中華系が多い。これは国としてまずい。わかるな」

銀次もチャイナマフィアに相当数の中国国家安全部の工作員が混じっていることは知っているはずだ。

「まぁ、わかります。でもサツは本気ですか。万里観光や華岡組だって政治力はありますよ」

「本気だ。だから俺らが九年ぶりに帰ってきた。ホスクラはキャバクラとは違う。適正価格に戻さねぇといけないだろう。そのためには荒療治が必要だ」

「万里観光系と華岡を潰すなら手を貸しますよ。地均ししたら、俺らが歌舞伎町を仕切り直します」

「利害が一致したわけだ」

「たまたまです」

「銀次、少し騒ぎを起こしてくれないか」

松重はそう頼んだ。ホスクラのやばさを強調する事件がもう少し欲しかった。

4

『あなた処女でしょ？』

真木洋子にそう指摘されたとき二階堂由美は、仰天し、顔の前で手を振った。

真木機関の歌舞伎町分署で初めて打ち合わせした直後だった。靖国通りの喫茶店に連れていかれて、いきなりそう言われたのだ。

何故そんなことが見破れたのか訊いて驚いた。

『相川君とバディを、と言ったときのあなたの目の泳ぎ方、相川君が握手を求めたときの慌てよう。男に慣れてないって感じたわ。違っていたらごめんなさいね』

と洋子はカラカラと声をあげて笑ったのだ。

当然『違いますよっ』と否定した。

『そうよね。そうに決まっているわ。ごめんね、失礼なこと言って。実はこの部署って代々処女が多かったもので、またかっ、ってね』

そういう洋子だったが、その後も疑いの目で見られているようで気になってしょうがない。

――実はその通りで私は処女だ。男は知らない。

ずっと中学から大学まで女子サッカー部で、女だらけの生活で、男と恋愛する間もなかった。レズ、というわけではない。いつかは男とやりたいと思っている。けれどもセックスという行為自体がなんだか面倒くさいような気がする。

やったことはないのだが、服を脱いでベッドなり布団に入って、相手とペースをあわせながら抱き合って、色々するのは、たいそうな労力がいりそうだ。

当面、オナニーでいい。

指一本あればしたいときに出来る。イメージもその時次第。

そんなことを考えていたら、頬がちょっと赤くなった。

「二階堂、何ニヤニヤしてんだよ。おまえなんか変な女だな」

目の前に座っている相川将太に言われた。歌舞伎町の地域係の大先輩にあたる。

「あっ、何でもないですよ。基本的に九年前と何も変わっていないんじゃないですか？」

歌舞伎町一丁目の各通りを、ひととおり廻ってきたところだ。相川が店の変わり具合などをチェックしたいというので、一番街通り、ゴジラロード、さくら通り、あずま通りなどを巡ってきた。

町の区画はまったく変わっていない。中心がコマ劇場ではなく新宿東宝ビルになっただけだ。

「いや店はかなり変わったよ。ホスクラが増えただけじゃない。飲食店もだいぶ変わったし、九年前はまだ消費者金融の看板が溢れていたが、そっちはだいぶ減ったようだ。トー横キッズなんていなかったし」

とコーヒーを飲んだ。

一番街通りの雑居ビルの中にある『純喫茶　芦沢（あしざわ）』だ。

「そうだったんですか」

「この喫茶店は変わっていない。マスターの芦沢さんはいい人だ。娘さんは二十八歳になるはずだけど、この店を引き継いでほしいね」

とカウンターの中で入念にコーヒーサイフォンの火加減を調整している蝶ネクタイ姿のマスターを眺めながら言った。

優しげな眼をしたマスターだった。

「で、相川先輩、私たちはどんな任務に就くんでしょうね」

ホスクラの状況については、先週のオリエンテーションでよくわかった。由美も歌舞伎町交番に勤務して、花道通りで常にホストやその客たちを目撃していたので、その荒れた状況はなんとなく把握していた。

とはいえデータ担当の小栗の資料を見せられて唖然としたものだ。

ホスクラでの推し活には二十歳前後の女が、月に平均百五十万円もつぎ込んでおり、未成年者も平気で入店させている。

もはや自己責任などという言葉で片づけられない問題だ。

「さてね」

相川は首を傾げた。相川も聞かされていないようだ。

五分後、マックスマーラのパンツスーツ姿の真木洋子が颯爽と現れた。

カウンターに向かって
「ハワイコナのストレート」

と片手をあげてオーダーする姿が実に様になっていた。この人が来ると歌舞伎町がニューヨークのように見えてくるから不思議だ。

マスターの芦沢泰仁が微笑み返した。

いつの間にか、この店が歌舞伎町をパトロールする際の待ち合わせ場所になっていた。

「松っさんから得た情報をもとに小栗君がテキストを作成したわ。ふたりのスマホに届いていないかしら」

とキタムラのトートバッグを相川の横の椅子に置き、本人は由美の横に座った。

由美は慌ててスマホを確認した。ちょうど着信したところだった。

「それぞれへの指示もそこにあるでしょう。声は出さないでね」

読んでいる間に、洋子はおいしそうにハワイコナを飲みはじめた。

「はい」

目を通して由美は戦慄を覚えた。

的に掛ける店は『千の旋風』。

先月、狙い定めたようにビルの上からダイブしてきた女から由美が身を挺して守ったホストがいる店だ。

その店を客として内偵する役が洋子と由美だった。

ふたり一緒ではない。

それぞれが別々の客となって内偵する。由美が接近する相手は、あの飛び込み事件の要因となった流星というホスト。手強そうな相手だ。

相川はビルを管理する警備会社に潜り、ふたりの警護に当たるというシナリオだった。

【あなたの男嫌いを買ったのよ。のめり込むことがなさそうだからね。ねぇ、ひょっとして、二階堂ってL?】

最後にそう書いてあった。

「あの、ラスト一行、違いますから」

由美は横を向き、それだけは伝えた。

「そう。では役づくりに励んで。一週間後にミッション開始よ」

「はいっ」

そう返事をしたとき、洋子が立ち上がった。

「あら、黒崎加奈子さんじゃない？」

店の奥に座っている女性に声をかけた。女性は首を傾げた。疲れ切った顔をしている。

「荻窪三中でふたつ上にいた真木よ。あなた演劇部にいたでしょう」

「あっ、久しぶりです」

加奈子と言う女が立って挨拶をした。

「二十年ぶりよね」

「真木さんは東京大学に入ったって聞いています。あのころから成績が凄くよかった。今は？」

加奈子が聞いている。

「トレーダー。三年前まで外資系の証券会社に勤めていたんだけど、コロナもあってやめちゃった。いまはフリーで頑張っているの。荻窪の家も引きはらっちゃったから、全然行ってないけど、あの辺変わっていない？」

すでに役に入っていた。荻窪に実家があったのは本当だろう。

「マンションが多少増えたぐらいで、二十年前とさほど変わっていませんよ。私はいまでも荻窪ですから。実家の近くにマンション借りて独り住まいです」

「そうなの。でも元気で何よりだわ」

「先輩も」

と加奈子が頭を下げたときに、待ち合わせていたらしい男が入ってきた。ポロシャツにハーフパンツの加奈子よりずっと若くみえる男だった。

「お待たせしました」

と言っている。

「あっ、加奈子さん、ではまたね」

洋子が席に戻って来て伝票を摘まんだ。レジに向かう。会計をしてもらっている間、入り口付近で待っていると加奈子と男の声が聞こえてきた。

「この一週間、お店に何度電話してもいないっていうし、昨日はわざわざ出向いたのに、休みだって。心配したじゃないっ」

加奈子がむくれていた。あの男もホストか？　由美は聞き耳を立てた。

「あっ、僕、今週はスタイリストじゃないほうの仕事が詰まっていて、サロンの方は休んでたから」

「えっ、マッサージ師としての仕事、そんなにあるの」

加奈子の声が少し甲高い。ホストではないようだ。ひょっとしたら弟さんとかだろうか。

「ええ、まぁ」

男の方は曖昧に返事をしている。加奈子が少し間を置いてから、ぼそっと言った。

「私もお願いしたいんだけど」

「セラピストしての指名であれば、料金は変わります。先週はマッサージの延長上であなったまでで」

「えっ」

加奈子が声を詰まらせた。

「お待たせー」

洋子が会計を終えて振り返る。

「先輩、どうも。またお会いできたら。あのこれ私の名刺です」

加奈子が席から飛んできて、洋子に名刺を渡した。

「アップルパイ・エージェンシーって、有名な芸能プロじゃない。ごめん、私の方はいま名刺を持ってなくて。このアドレスに送るね。芸能界の話とか聞かせてよ」

「はいっ」

加奈子がぺこりと頭をさげて、男のいる席に戻って行った。

店の外に出て、人ごみに紛れると同時に由美は伝えた。

「アップルパイ・エージェンシーって、この前ホスクラビルから飛んだ石橋茉優って新人俳優の所属していた事務所だと思いますが」

「そう……」

と洋子は一瞬、喫茶店の方を振り返った。

「相川君、あの一緒にいた男を追尾してくれない」

「わかりました」

すぐに相川が、雑踏の中に紛れ込んでいく。由美は言い知れぬ緊迫感を覚えた。

早く自分の役になり切らねばと覚悟する。捜査はいつでも前倒しになるのだ。

第四章　恋鎖（こいぐさり）

1

「鎖（くさり）が掛かっていないとああいう事故が起こる。流星、お前も先月は少し気が緩んでいたんじゃないか。もうじきトップスターになるかも知れないタレントにこの上からダイブされちまったんだぜ。まったく金ドブだ」

北条真琴はマイクを持って訓示していた。

午後六時三十分。『千の旋風』の開店前のミーティングだ。真琴は毎夜、ホスト二十名を集めて開店前に気合を入れる。

わざわざ一か月以上も前の事故をあえて取り上げたのは、自殺したタレントのマネージャーがビルの周りをうろついているという情報を得たからだ。

警察は怖くない。だがマスコミは怖い。

石橋茉優に関してはクスリ類は一切使っていないが、そこら辺の噂でも流されると、眼をつけられやすくなる。

ユーチューバーをはじめとするネット民の追及もうざい。

それもこれもホストが客にきっちり鎖を掛けておかないから起こったことなのだ。

そのことをホストたちに再確認させねばならない。

「流星にも言い分があるだろう。俺は一方的に責めるつもりはない。このミーティングはつるし上げじゃないんだ。失敗はみんなで共有したほうがいい。だから担当ホストからみた言い分も聞きたいんだ」

真琴はそう付け加えた。ナンバークラスのホストには気配りも必要である。億り人まで目前に迫っている流星をむくれさせて移籍でもされたらたまらない。

真琴はこの『千の旋風』の名義上の社長だ。経営者としての責任がある。

三十六歳となり現役ホストしては陰りが見え始めているが、従業員の使い方がうまいということで、オーナーから経営を任されることになった。

三年前のことだ。

いまや真琴の収入は、客からの支払いではなく、店の総売り上げの五パーセントということになっている。年間三十億売れば一億五千万が真琴の収入だ。

つまり下にいるホストに稼がせてナンボの仕事だ。

だから指導に余念がない。接客マニュアルまで作り新人の教育にあたっている。

うまくいけばもう一軒任せてもらえる。そうなると年収も二倍だ。

みずからがオーナーになる日が近づくというものだ。

「気を緩めたつもりはなかったんですけど、僕らの仕事は結果がすべてですから、やはり心に甘さがあったのだとも思います。嫉妬を煽りすぎたかもしれません。芸能人に関してはやはり『三つ優しく、ふたつよいしょ、ひとつこっちが塞ぎ込む』だと思います。『冷たく』はよほど引き付けてからじゃないと逆効果になると反省しています」

流星はソファから立ち上がり、殊勝に答えた。

この店のナンバーワンを目指しているのだろう。だいぶ腹が据わってきた。

ホストの客あしらいの基本は『ふたつ優しく、ひとつ冷たく』だ。

流星はいま、芸能人にはその手は通用しないといっているわけだ。

他のホストたちも、なるほどと、頷き合っている。

「ひとつこっちが塞ぎ込むってワザがいいな。冷たくするんじゃなくて、自分が何かの理由で塞ぎ込むという手だな」

　真琴は感心した。

「そうです。優しさだけでは飽きられます。刺激は入れたいですが、そっけなくしたり、他の女といい感じになっているのを見せつけるのも、もともとプライドが高い有名人には逆効果になりました。でも引き技は必要です」

　流星が考え込みながらいう。

「その引き技はおまえさんの企業秘密ってわけか」

　真琴は揶揄うように言った。コツは言わなくて当然だ。

「そんなことはないです。相手によって臨機応変に落ち込む姿を見せないといけないでしょう。理由は後で考えて、とにかく悩んでいるフリというのはアリです。ただ金やランキングで悩んでいるふりはタブーです。育ての客はそこで営業を感じてしまうでしょう」

　その通りだ。

　真琴は言葉にするよりも拍手をした。

　流星にはまだ伸びしろがある。

　一流大学の出身で地頭もよければ育ちもいい。本来なら大企業にすすめるような環境にあった男だ。なのに、大学卒業と同時にホスト業界に飛び込んできた。

　本名は鈴木義夫。学生時代に集団レイプのサークルにいたという。逮捕は逃れたが、その疑惑はまだついて回っているようで、まともな就職は出来なかった。

　そんなやつだから、最初から腕があった。女を穴と金としかみていないのがいい。

「他のみんなに聞くわ。営業を感じさせない、塞ぎ込み、悩みの理由というのはどう作る？」

　真琴はその場のホスト全員に問うた。

「親が病気というのはどうですか？」

　新入りのマサカズが手をあげそう答えた。

「もろ、金目当てに聞こえるだろうよ」

　ナンバーワンの歌川真也が笑う。まさしくその通りだ。

「真也ならどう答える。差しさわりのないレベルの案でいいんだけど」

　真琴も興味があったので聞いた。こうした場合、ナンバーワンならどういう手を使う。

「自分が癌らしいとかですかねぇ。あるいは失恋しちまったとか」

　ナンバーワンはなるほど独特だ。

「自分は重病かもはわかるが、失恋したは相手が爆死しねぇか?」

道明寺恭平が首を傾げる。

「いや友達営業から入っている場合だと、これは使えると思う。ホストだって実は普通の恋をしていて、仕事を内緒にして付き合っていた彼女がいた。けどホストという仕事がバレて捨てられた。お客さんには言えない話だけど、キミには打ち明けるわ。俺しばらく立ち直れないかもしれない。かっこ悪いから店では言うなよ、って」

真也が身振り手振りをまじえて言った。

全員が黙った。

「真ちゃん、そのストーリー完璧だ。マトにかけられた客、完全に、おねえさん気分になっちゃうわ。で、唯一真也の秘密を知っている客になって、いつかはそこから本カノになっていくわけだ。ヤバすぎる。やっぱまだ勝てねぇわ」

ナンバーツーの恭平が背もたれに身体を埋めた。

「みんなそういうテクを磨け。この店の中ではどんな嘘を言ってもいい。ここは嘘をつくための舞台だ。役者は舞台で芝居する。ホストは店で芝居する。言葉はすべて台詞なんだから、本当のことなんて一ミリもなくていい。いいか、客をみたら金だと思え。お客様は神様じゃない。おまえらが神だ。信じさせたらいいんだ。さぁ今夜も芝居の開始だ」

真琴はひと際大きな声を上げ、マイクを置いた。

すぐにフロアに円陣が組まれた。

「今夜も気合を入れて、毟(むし)り取れ。友達営業、色恋、本営、枕、何でもありだ」

真琴が手を差し出すとその上に二十人の手が重なる。

「おうっ」

真琴が手を引き抜き、一番上の手を叩(たた)く。『千の旋風』の恒例、円陣コールだ。

「おぉおおうっ」

全員が声を張り上げ、エントランスの前に並ぶ。お出迎えの準備だ。

午後七時になった。

「開店します。姫様たちのお戻りですっ」

内勤のボーイが威勢よく扉を開けた。

地獄の釜の蓋を開けるともいう。

2

今夜の一番槍は、吉原のえりかだ。

「真也、おはよう」

「えりか姫、おかえりっ」

さっそく真也が腕をからませ、最奥の席へとエスコートしていく。

今夜も開店と同時に早い時間狙いの客が続々とやってきた。担当被りの客よりも先に入って、長くセットしていることを強調したい客たちだ。

中には営業時間内すべて居続けようとする通称オープン・ラストの客もいる。とはいえ必ずしも金を使うわけではないので、担当が忙しければ、ヘルプ任せ、うざければ放置だ。

今夜は二千万まで伸ばしたい。ホストという駒がどう動くかにかかっている。

真琴は熱い視線をホールに注いだ。

燃えるような会話が飛び交い、ボトルが運ばれていくホールの様子は、カジノでカードの捲られる瞬間に似ている。スリル満点だ。

リシャール、ルイ13世の連呼が聞きたい。

ペルフェクションが下ろされたら一発で目標達成だ。この半年、倉庫に寝たままだが、こんな蒸し暑い夜には、酔狂な客が現れるかも知れない。

真琴は徐々に盛り上がっていくホールを眺めながら、ここまで駆け上がってきたことに軽い高揚感を覚えていた。

ガキの頃はまったくモテなかった。

醜男（ぶおとこ）だったわけではない。ただ引っ込み思案なだけだった。それだけでクラスの除（の）け者にされた。

中学、高校では読書ばかりしていた。それで成績が上位ならば、さすが読者家、という評価も得ただろうが、下の方ばかりをうろうろしていたのだから、ただのネクラ扱いだった。

進学した大学は首都圏にあるFランク大学。高卒と言った方が良いような誰も知らない大学だった。

しょぼい人生だ。

それでも大学時代に生まれて初めて熱狂的になれるものと出会った。

アイドルのおっかけだ。

推しのCDを爆買いし、ライブやイベントに出かける日々だ。

追っかけ仲間も出来た。

けれどもそこでもまた挫折を味わった。

オタ仲間同士の金の差と育ちの差だ。

金のある連中は、無尽蔵にCDやグッズを買い漁り、どんどん推しに接近していく。

育ちのいい連中は、親のコネでテレビ局に出入りしたりして直接会ったりできるのだ。

そんな連中に真琴は嫉妬した。

成績で負けても、収入で負けても悔しくないのに、推しと接する差では無性に妬けた。所詮高嶺の花なのだ。

真琴は徐々に、テレビでは活躍しないような地下アイドルを推しに変えるようになった。

境遇が似ているようで、感情移入がしやすかったのだ。

直接話せるし、五万円ぐらいで個撮も出来た。セックスこそしないものの個人的にお茶をしたり、ショッピングに付き合うことも出来た。

なんとかなる金額だったので、余計に夢中になった。

頑張れっと声を嗄らし、自分も頑張った。

苛酷で知られる通販会社の倉庫でバイトをし、投げ銭をしまくった。

バイトだけでは応援した気になれず、消費者金融や闇金から百五十万ほど借り入れていた。

だがそこでも裏切られた。正確にいえば裏切られた気分になったのだ。推していた地下アイドルはホス狂いだった。

貢いだ金は、すべて貢がれていた。心に穴が開いた。中原中也の詩の一節『汚れっちまった悲しみに』が胸に染みた。

所詮、自分はクズだ。

燃えるものを失って憔悴していると、闇金から矢のような催促が始まった。アパートの周りにも取り立て屋がうろうろし、死ぬしかないかと思ったが、その勇気もなかった。

真琴は山手線をぐるぐる回りながらの読書に逃避した。

一日中電車の中で読書し、ときおり、菓子パンと缶コーヒーを飲む日々だ。

そんなときだ。ノワール官能の名手が描く、ホストに嵌まった人妻の物語に出会ったのは。小説だからデフォルメされているだろうが、ホストってそんなに稼げるのか？と一番に思った。

一発逆転はこれしかないと、本やネットのホスト関連の記事をかたっぱしから読み漁り、ユーチューブのホストクラブへの潜入映像などで研究した。

真琴が得た結論は、ホストになるということは詐欺師になるということだった。

それも人の心の弱みを巧みに突く詐欺師である。

人間の金銭欲に付け込む地面師や手形パクリたちより、遥(はる)かにたちの悪い詐欺師がホストだった。

それをやろう。過去へのリベンジでもある。

ホスクラ求人サイトで万里観光を知った。簡単な面接だけで仮採用になり、後は実績が出せるか、出せないかで本採用するか決めるということだった。

この選択が見事に成功した。

真琴は二週間で本採用になった。

その日から本名の田端藤吉(たばたとうきち)は捨て、北条真琴と名乗った。そもそも田端藤吉がかっこ悪かった。

名を改めると性格まで変わった気がした。

真琴にはそもそも客の本質を見極める才能だけはあったようだ。ホスクラにやってくる客はみんな何処か病んでいた。いや、この世に病んでいない者など存在しない。

その闇の原因は嫉妬とコンプレックスが大半だ。

真琴はそこを見抜くことに長けていた。

この客の悩みの根本は何か？　充足出来ていない理由は何か？　探りだすと容赦なく付け入った。

悩みに寄り添い、恋心を抱かせる。そこから他の客と競わせる。もともと嫉妬しやすい性格の持ち主たちだから、操りやすかった。

不思議なことに女から金を奪い、堕落させるほどに自分の心が満たされていく。人に勝つということは快感だ。そしてホストは神にもなれる職業だ。

キャッチに出るか――。

ホールはホストと黒服たちに任せて、この時間は釣りに出ることにしよう。

真琴は黒服にその旨伝えて、花道通りに出た。

キャッチに関してはナンバークラスのホストにも負けない自信があった。もっといえば、いまのトップスリーの三人も、真琴がキャッチした客で稼いでいるようなものだ。

ルックスやトークの腕はもはや真也、恭平、流星の方が上だが、金を持っている客を引く眼力はまだまだ自分の方が上だと思っている。

真琴は自分が社長に抜擢されてからは、雑魚は新人の育成用に拾うが、的はカジノで言うところのクジラに絞っていた。

雑魚とは地雷系だったり、すでに夜職として働いている女たちである。ホスクラ慣れもしており、他の店に飽きて客として新規開拓中の女たちである。

この手の客は育ての期間が要らない。すでにホスクラの料金体系も頭に入っている。むしろ彼女たちのほうが育てたい若手を探しているのだ。

デビューしたてのホストにはおあつらえ向きの客で、うまく指名を取ってくれたら一定の売り上げが読めることになる。

ただし、その額は読める範囲でしかない。

月間二百万が限度。

記念日にリシャールを下ろすあたりまでは計算できる。だがそこまでだ。

彼女たちは一日に七人ぐらいの客を取り、月に二十五日稼働したとしても、せいぜい二百五十万ぐらいしか稼げないからだ。

売り掛けで一時的に膨らませたとしても、数か月後にはパンクするのが目に見えている。

リスクを背負うのはホストの方となり、文字通り地雷を踏むこともありうる。店の前でリストカットなどされたら目も当てられない。

そんな客は若手がいっぱしになるまでの半年ぐらいだけ通ってくれたら、それでいい。その手の客はまた他店へと流れていくものだ。

ＯＬや専業主婦、それに女子大生はホストが腕を磨くための修業用にはいい。

最初は友営からはじめて、徐々に色恋にもっていかせる。

そして娼婦になることをすすめる。

風俗デビューしたばかりの女は、客単価が高い。

一日五本挿れて二十五日稼働で月収六百二十五万円になる。ちょっとしたサラリーマンの年収だ。

そっくり店に落とさせるようにするには、ホストと同棲させるのが一番だ。

この手の育成に成功したホストはナンバー入りとなり、億り人になる可能性がぐっと近づいてくる。

真琴が今日、一店舗ながら店長ではなく社長にまで昇り詰めたのは、この手の女を何人も育て上げてきたからである。

だがそれでも彼女らの稼ぎもせいぜい年収約七千五百万が限界である。

そしてそこまで働かせると、たいがいメンタルがやられる。

タバコや酒などやらなかった女が、ヘビースモーカーでアルコール依存症になる。

きっかけさえあればＭＤＭＡ（タマ）や覚醒剤（コナ）にも簡単に手を出すようになる。

無理もない。

身体で稼ぐということは、どんな男の逸物（いちもつ）でも舐（な）めてしゃぶって、身体に入れなければならないのだ。ちょっとキモい男とでもエロモードになるためには、何らかの力が必要になってくる。一番いいのがＭＤＭＡだ。

ヤクへのきっかけを作るのはホストで、売るのはヤクザだ。

煎じ詰めればホストとは、堅気（かたぎ）の女を娼婦に仕立て上げ、廃人になるまで毟り取る商売である。

ホスクラの扉は地獄の釜の蓋。

開けて入ったら、煮え湯の中で悶（もだ）え死ぬしかない。

そして結局はキャリアＯＬも、名門女子大生も熟れた人妻も、ほぼ一年で雑魚に変わる。

もっと大きく稼げる女がほしい。

真琴が狙っているのは、当人たちが稼ぐ以外に副産物を生みだしてくれる女だ。

芸能人、有名スポーツ選手、資産家令嬢。そんな女たちだ。

一晩で一千万円を使う客よりも、五億の資金を運んできてくれる女の方が価値がある。

商売で大事なのは、未来が広がるかどうか、だ。

石橋茉優をこの花道で拾ったのも自分だった。うまくすれば芸能界へのルートが確保でき、万里観光の張本幸太郎（はりもとこうたろう）会長への覚えもめでたくなったはずだ。

それにしても蒸し風呂のような暑さだ。

拭っても拭っても額から汗がこぼれ落ちてきて、薄化粧が流れてしまいそうだった。

花道通りはごった返していたが、店を物色しながらぶらぶら歩いているような女は見当たらなかった
いずれも目的の店を定めて、一目散にそこへ向かおうとしている女たちばかりだ。

ならば一回上がろうか、と思った時だ。

「あなたどこの店の方？」

区役所通りの方から歩いてきた女に声をかけられた。歌舞伎町交番の方向ばかり見ていたので、一瞬驚いた。

黒髪のショートカット。色白の小顔で双眸（そうぼう）には透明感がある。鼻筋もすっと通っており、絵にかいたような美女だ。

年齢は二十代前半に見えるが、服装はシックだ。濃紺にハイビスカスの花をあしらったワンピーズにアンサンブルのような同色のサマーカーディガンを羽織っていた。

「タレントさんですね」

口から出まかせでなく、心底そう思った。

この女、とにかく全身から華やかさが漂っているのだ。

「私フーゾクだけど」

女はしゃらんと言った。とてもそうは見えなかっただけに、真琴はわずかに失望した。

「近くですか？　それとも遠くから？」

歌舞伎町のホスクラにやってくる風俗嬢には二種類ある。この町で働き、住みついてる女と、吉原、川崎（かわさき）のソープ、あるいは別な地区を拠点にしたデリバリーで働いている女だ。

「ここじゃないわ」

「ひょっとして港区系ですか？」

近頃、風俗嬢の中にもそういうジャンルが生れている。港区の高級マンションに住み、セレブの飲み会専門に派遣される風俗嬢だ。

一見商売女には見えず、セレブ同士のパーティに連れて行っても、恥ずかしくないほどの振る舞いのできる女たちだ。

「住んでいるのはそうだけど港区で仕事しているわけじゃない。あなたいま空いてるの？」

「呼び込みしているぐらいですから空いてますよ」

「ちょっと渋くて、いい感じ。指名する。店、ここ？」

とビルを見上げた。

「五階の『千の旋風』です。僕は真琴。いちおう社長やっています。若い子もばっちりそろっていますよ」

真琴は名刺を差し出した。

「いちおう社長っていうことはまだ雇われ社長ってことね。さぁこれから、オーナーになって歌舞伎町を仕切れるかなぁ」

と真琴の顔を覗き込んでくる。いかれた女か？

「てっぺんをめざしたいものですよ。まだまだですがね。姫の名を聞いてもいいですか？」

「渡辺三波。本名よ」

女はにっこり笑った。

「ではご案内します」

初回なのでどんな女か分からないが、指名されて断るバカはいない。真琴はうやうやしくエレベーターへとエスコートした。

3

「リシャールを一本。クラッシュアイスで」

席に着くなり三波はそう言った。

「うちでは百五十万で出してますけど……いや、すみません、初回でいきなりリシャールっていう姫も珍しいもので」

真琴は一応確認した。飛ぶ気の女か？　そんな気もした。何処かの店で売り掛けを固め、にっちもさっちもいかなくなった女。

この世の最後に見知らぬ店でばか騒ぎして、そのまま屋上からダイブするというパターンは、この町では珍しくない。

カモにされたら、笑いものになるだけだ。

「そうね。いつかオーナーになる気なら、そのぐらいの用心深さが大切よ。はい、これでリシャール一本分だけ先払いしておくわ。カードがちゃんと受け付けるかを確認したらいいわ」

三波が最上級のクレジットカードを出してきた。本人名義だ。渡辺三波ときちんと書かれている。

「あっ、いやっ。すみません。初回なのでそうさせていただきます」

真琴は慌てて黒服に手をあげ、カードリーダーを持ってこさせた。すぐに接続され、三波は暗証番号を押した。もちろんこちら側からは見えない。

あっさり承認された。

「支払い能力は証明されたわよね」

「もちろんです。ありがとうございます」

真琴はカードの控えを渡し、テーブルに額をつけてお辞儀した。いきなり道で拾った女に百五十万使わせた。社長として部下たちへの示しが付くというものだ。

「リシャール一本入りましたっ」

　真琴は声を張り上げた。

　接客中のホストも待機中のホストも、一斉に立ち上がり、三波の方を向いて『ありがとうございましたっ』と頭を下げる。三波が片手をあげて微笑(ほほえ)み返す。なんともサマになっていた。

「ああいうパフォーマンス、私いらないから。タワーとかもやらないからね。でも相応の課金はするから」

「わかりました。静かに飲みたいということですね」

「そういうこと。推しの奪い合いで張り合う気もないの。恨まれたくないしね。だから店推し。だから社長でいいの」

　たいした貫禄(かんろく)だ。ホスクラ遊びの限りを尽くしたような達観ぶりだ。すぐに黒服がリシャールを運んできた。跪(ひざまず)き栓を開け、クラッシュアイス入りのブランデーグラスに注ぐ。

　乾杯を囃(はや)し立てるために寄ってこようとする待機中のホストたちを真琴は手をあ

げて制した。

「ご来店を祝して乾杯しましょう」

声を潜めて、背筋を伸ばしてグラスを渡す。たぶん昭和のホストはこんなふうだったのではないか、という感じだ。

乾杯した。

「気を使ってくれて、ありがとう。ドルフィンを飾りに置いていいわよ。あっ、カミュのブックとかあるの?」

「いやっ、ブックはいま置いていないんです。仕入れておきます」

アンティークボトルだ。陶器の書籍型ボトル。バブル期の象徴とされ、柄によってはオークションでとんでもない値が付くボトルもある。

「だったら八〇年代の前半のものがいいわ。飾りには最適よ」

三波は眼を輝かせて言っている。

「探しておきます。アンティークが趣味ですか」

「投資ね。アンティークコインへの投資にロマンを感じるのよ。二百年前のオスマントルコのコインがいまもコツコツと値を上げているって、ぞくぞくするわ」

この店に来る客の中には暗号資産で儲けたような女もいるが、こんな高尚な趣味を持った女はいない。

ひょっとしたら風俗嬢だというのも、作り話かも知れない。本当はとんでもない資産家。そんな気さえしてきた。

「いままで歌舞伎町ではどちらを贔屓に」

探りを入れてみる。

「何軒も行ったけど、これといった馴染みはなかったわ。私、ホスト自体にさほど入れ込まないから。ホストの色気より経営者のオーラを浴びたいタイプ。成功している人はみんなオーラがあるわ」

三波がリシャールを飲んだ。

「僕では力不足かも知れませんね」

「さぁ、どうかしら。まだ知り合ったばかりだわ。時々寄らせてもらう」

「連絡先をいただけますか」

「うん、いいよ。交換しましょう。ラインはうざいからしていないの。メールでいい？」

三波がスマホを出した。本当の金持ちほど用心深い。三波はそうなのではないか。

「営業メールも苦手ですか？」

　真琴は聞いた。慎重に扱い、なんとか懐に飛び込みたい。真琴もグラスを口に運んだ。他の席のばか騒ぎが、なんだか子供っぽく感じてきた。

「あからさまな営業メールだと即削除よ。ホスクラの儲け方のコツとか書いてきてくれたら、きっと真剣に読む」

「えぇっ？　店を推すって、うちを買収でもする気ですか？」

　真琴はブランデーを吹き出しそうになった。

「そんなことしないわよ。私は男よりお金が好きなだけよ」

「ほんとに風俗で働いているんですか？」

　口の周りを拭きながら聞いた。

「ほんとよ。明日もドバイまで弾丸ツアー。昨日はシンガポール。滞在時間は五時間」

　そう言って三波が口に人差し指を当てた。真琴は完全に納得した。世界のセレブを顧客にしている高級コールガールというわけだ。

　一発百万円でも二百万でも払う客が相手だ。専門のエージェントがついているはずだ。容姿だけではなく語学も堪能でなければ務まらない。

　だが、とてつもない人脈の持ち主であることも間違いない。

「それは大変ですね。うちで慰労できることならなんでも。そうですね、役に立つかどうかは別として、ホスクラの実態でも書きますよ」

真琴は過去最高の微笑みを作った。この女、何とか落としたい。

「経営上の一番の悩みって何？」

直球の質問だった。儲けのコツを聞くよりも問題を聞いたほうが、実態はわかりやすい。

「売り上げの限界があるということです。店を二倍にしない限り、利益が倍にはならない。水商売はそういう商売です。例えば資産家のように預けている金がコツコツ利息を稼ぐことはないし、メーカーのようにヒット商品が無限大に稼ぐこともない。僕らは二十四時間以上は働けません。酒は売れても、僕ら自体に価格はつきません」

「でも一億稼ぐホストはたくさんいるんでしょう？」

「一握りです。スポーツ選手や実業家のように十億稼ぐホストもいません。一億ちょいが限界ですね。それと芝居していることに疲れます」

最後に本音を混ぜた。

「私らと同じね……」

三波がふっと素の顔を見せたような気がした。付け入る隙はこの辺だ。彼女もいくら稼いでも限界はあるのだ。

「まぁ、同業者に近いですから。嘘で固めた毎日です。フルーツでもご馳走しましょうか。ホストの奢りです」

「そんなのいいよ。奢ってくれるならドライフルーツかチーズでいい。それと水代わりにドンピン一本入れて」

「畏まりっ」

すべてを弁えた客だった。真琴はとにかく友営に入ることにした。

エントランスの方から黒服の甲高い声が響いてきた。

「初回の姫さま、一名ご来店っ」

待機席のホストがどっと立ち上がった。真琴はかまわず三波への接待へ集中した。

三波はさすがに政治や経済の話題に通じていた。

他のホストでは退屈させてしまう相手だ。銀座ホステス並みの知性がないと太刀打ちできない。

真琴は三波の心に入り込む術を模索しながら会話を続けた。

昼にサウナで休んでいる時間に読む新聞とネットニュース。そこから得た話題を駆使した。

なんとしても、この女に鎖を掛けたい。他店に行かれたら面目丸潰れになる。この際、飛び道具でも何でも使ってやる。

4

「二階堂って苗字、焼酎みたいでいやなのよ。由美って呼んでね。というか、私、まじホスクラって初めてなんだけど」

三廻り目のホストたちに、由美はちょっと横柄な感じで言ってみた。

テーブルの上にはすでに八枚の名刺が並んでいた。目の前に四人ずつ座り五分ぐらい自己アピールして去っていくのだ。これで名刺は十二枚になった。

「モデルさんとかですか」

ひとりが言う。

「その質問、もうさんざんされているんだけどっ」

パーカーにワイドジーンズのラフな格好。けれどもパーカーはバーバリーだ。フードのところだけがバーバリーチェックでボディはブラック。洋子が選んでくれたすこぶるスタイリッシュな格好だ。

「あっ、はいっ」

　新人らしいホストがしどろもどろになった。

「このお店、初めての客にはそう聞け、みたいなマニュアルとかでもあるの？　私、モデルとかタレントとか大嫌いなんだけどっ」

　由美はハーフアップにしてきた髪を掻きむしり、セミロングに下ろした。

「気を悪くしましたらすみません。あまりにも整ったお顔をしているので、つい聞いたまでです。ＯＬさんですか？」

「スタイリストよ。モデルやタレントの衣装や小道具を調達する仕事。どんだけあいつらにこき使われていると思っているのよ」

　いきなり不機嫌そうに声を荒げてみせる。ちょっと演技過剰かとも思うけど、芸能界の裏方であることは伝わったと思う。

「あっ、そっちでしたか」

　冴えない感じのホストが会話を繋げることも出来ず、セットボトルの焼酎を緑茶で割って、マドラーをぐるぐる回している。

　他の三人も由美に気おされて、押し黙ってしまった。

黒服がやってきてチェンジを告げると、目の前のホストたちが『ごちそうさまでした』『よろしくお願いします』などと頭を下げながら去っていく。

四廻り目がやってきた。

由美は思わず息を飲んだ。あきらかにオーラが出ているホストたちがやってきたのだ。

「真也です」

明るいグリーンのジャケット。こんな色のジャケットが似合う男はそうそういない。全身から発するオーラが眩しかった。

「道明寺です。よろしく」

完全にアイドルオーラ。アニメの主人公のようなくっきりとした目鼻立ちに、微かに匂う柑橘系のコロン。フリルのついたワンピース姿の少女なら視線だけで殺されてしまいそうだ。

「サミーです。日本人ですけど」

ハーフっぽい顔立ちの日焼けしたホスト。この男こそモデルですか？　と聞きたくなる美形だ。

「流星です。焼酎の緑茶割でいいですか。セット料金でも他にもいろいろ飲めますが」

焼酎ボトルを見ながら言っている。こいつだ。

ベージュのスリーピースにノーネクタイ。バハマとかニースとか、そんな避暑地のホテルのバーで探偵小説でも読んでいそうな男の雰囲気が醸し出されている。

この四人の前では、セット用のボトルセットが浮いて見えた。

「他にどんなものが飲めるの？」

恐る恐る聞いた。流星は果たしてこの顔を覚えているだろうか。

「ハウスワインとかサワー系も。と言っても缶物サワーですけどね」

と真也。

「缶物ですけど、厨房(ちゅうぼう)でカクテルグラスに移し替えているので、それらしく見えるんです。チェリーとかのっけちゃいますから。うちの厨房担当、そこらへんうまいんですよ」

流星が屈託のない笑顔を浮かべる。

どうやらあの夜、体当たりをした由美のことは覚えていないようだ。

「だったら、レモンサワー」

酒は強い方だ。

「じゃぁ、僕らも同じものにしますね」

道明寺が如才なくいう。黒服が来てさっと焼酎ボトルや緑茶のペットボトルを片付けていく。すぐにカクテルグラスに入ったレモンサワーがやってきた。一緒にカシューナッツとドライフルーツの盛り合わせもついてくる。

なんとなくテーブルの上がさまになる。

「カンパーイ」

サミーの発声でグラスをあわせた。

「カンパーイ。おいしいっ」

高飛車な女を演じていたはずだが、由美はついうっとりとした声をあげさせられた。目の前のホストたちが眩しすぎるのだ。

ホスクラとはかくも美しい男たちが揃(そろ)っているものなのか。くらくらとする思いだ。嵌まっていく女たちの気持ちがわからないではない。

「さっき声が聞こえたんですが、タレントってそんないやな連中なんですか」

流星に聞かれた。あんたそのタレントを転がしていたんじゃなかったの？　と聞き返したくなる気持ちをぐっと抑えた。

「私が担当している連中に限って言えば、横柄なやつばかり。スタイリストなんか女中さんぐらいにしか思っていない。マネージャーやプロデューサーはもっとひどいわね」

小栗が作った資料にそんな台詞の例があった。そうした芸能人や関係者は実際に多数存在するということだろう。

「二階堂さんが付いている方は、名前は言えないと思うんですけど、男性、女性どちらもですか」

道明寺がおっとりした口調で言う。ナッツを齧る様子が可愛らしい。振る舞いがとても自然なのだ。

一線級はレベルが違うと改めて感心させられる。

「そうね男女半々。いまは女性の俳優がメイン。はい、名前は言えませんよ」

「言えないですよねぇ」

と流星。

「でも憧れの仕事ですね。センスが評価されるわけじゃないですか。洋服のプロですもんね」

真也が話題を広げてくる。持ち上げ方がうまい。

「好きでやっているだけ。ファッションが好きだから」

これも小栗がチョイスした台詞。こう言えばどんな職業でも、選んだ動機になる。由美は刑事になるのが夢で警視庁の採用試験を受けた。子供の頃から刑事ドラマが好きだったからだ。

「僕もスタイリングを頼みたいぐらいですけど、料金高そうですよね」

流星が入り込んできた。

「何を言っているのよ、高額所得者の癖に」

切り返す。

「まだまだですよ。もっとバリっとした格好をすれば、売り上げも伸ばせるんでしょうけどね」

「充分、イケてるわよ、そのスーツ」

ついつい本音もいう。

ここで時間となった。黒服が来ると四人はあっさり立ち上がった。日差しが遠のくようだ。

「どうですか。ほぼほぼうちのホストをご覧いただけたと思いますが、残り三十分、誰かを仮指名願います。いえ、初回は指名料はいただきませんが、次のご来店からは、そのホストが担当になります」

黒服が詰めてきた。そういう決まりのようだ。

「流星さんを」

本音としては道明寺か真也だったが、ここは任務なので流星を指名する。三番手だったので、溺れることはなさそうだ。

「ありがとうっ」

すぐに流星がやってきて、隣に座った。

「初回指名なので、僕がドンペリの白でよければご馳走します」

いきなりドンペリだ。初回セット料金はたったの五千円なのに、この店の価格で六万円はするはずのドンペリを振る舞ってくれるとは、食らいついてきた証拠だ。

「次から来るかどうかわかんないわよ」

「それは由美さんの自由ですよ。来なければ、僕に魅力がなかったというだけです」

「じゃぁいただくわ」

ドンペリが出てきた。実は初めて飲む。ポンッといい音がして、フルートグラスに注がれる。

泡が綺麗(きれい)だ。

あらためて乾杯して、飲んだ。

これがドンペリの味か。シャンパン自体、さほど飲んだことがないのだが、由美にはサイダーとさして変わらないような気がした。

甘くないサイダー。そんな感じ。

「無理やり店に来なくてもいいですよ。外でも会えます。スタイリングとかまじ見てもらいたいし。洋服観に行きましょうよ」

「そんなこと言って、私に洋服とか買わせる気でしょう」

由美は、あえて警戒してみせた。

「そんな気、さらさらないですよ。まいったなぁ」

「ちょっとお手洗いに行っていい？」

用を足したくなった。ここまで店内の様子を見ていると、客は席を立つとき必ず、ホストにエスコートされている。

小栗のテキストにあったが、ホスクラというところは、客が勝手にうろうろは出来ないのだ。

これは他の客とトラブルにならないためらしい。

「はい、案内します」

流星も立つ。客席を縫ってトイレに向かう。途中の席から鋭い視線を受けた。

「初回の女？　それで流星が接客っておかしくない？　ねぇ、笑わせないでよ」

前に座っているホストにそんなことを言っている。流星の客らしい。ツインテールにフリルの付いたミニスカワンピを着ている。

「気にしなくていいですよ。ただの酔っ払い女ですから」

トイレの扉の前で流星が声を潜めてそう言った。

「怖いわねぇ」

由美は個室に入った。

用を足し終え、扉を開けるとおしぼりを持った流星が待っていた。

「ありがとう」

席に戻って飲みなおす。ちょっとシャンパンの味が違っているようだった。

「朝とか早いんでしょうね」とか「ロケって海外も行くんですか」とか仕事のことをあれこれ聞かれた。あっという間に時は流れる。

「もう一本入れちゃいましょうか。セットの延長だけでいいですよ」

「セットっていくらなの？」

「二万円です。でも今夜はここまでの五千円と合わせて、それだけでいいです。もっと話しましょうよ」

そう言う流星の顔がちょっとかすんできた。一服盛られたようだ。覚醒剤系ではない。これはミンザイだ。やたら眠くなってきた。

「んんんっ。でも今夜はもういい……」

景色が揺れる。由美は目を瞑った。猛烈な睡魔に襲われた。

不意に黒服の声がした。眠いが耳はまだ確かだ。

「流星さん、若葉さんが暴れています。ちょっと手が付けられない状態で」

「この場面でかよ。おまえら、全然役にたたないなぁ。接客していた時代もあったんだろう」

「すみませんっ」

黒服も困っている様子だ。

さっき由美がトイレに立ったときに睨みつけてきた女のテーブルから怒声が聞こえてくる。

「流星、小計で二百万使わせておいて、一時間も放置かよっ。ざけんな、火つけてやるからな」

「寝かしつけてくるよ」

流星が立ち上がった。やはりミンザイは使っているようだ。

由美は必死に目を擦(こす)り、欠伸(あくび)をしながら黒服を呼んだ。

「会計、これで。帰るわ」

と現金三万円をテーブルに置く。大学時代の朝練のときの睡魔との闘いを思い出し、足を踏ん張り立ち上がる。

黒服は『ちょっと待ってくださいっ』を連発し、流星の席に飛んでいった。

由美は中学から大学までサッカーに明け暮れていたのだ。足腰には自信があった。なのにふらつくのだ。

「何やっているんですか。ホスクラで勝手に動き回るのはＮＧですよ。帰るにしてもちゃんとお見送りがありますから」

流星が飛んできた。

「じゃぁ、見送って」

由美はのろのろと扉に向かった。

「なんだか、後味の悪いお別れになっちゃったね。ハグぐらいさせてくれないかな。これ、ホストのプライド」

「じゃぁ、して」

眠くてどうでもよかった。店の前のエレベーターホールに出ると自分から流星の胸に飛び込んでいく。眠くて立っているのも辛（つら）かったからだ。たぶんあいては勘違いするだろうが。

「メールするよ。とにかくまた会いたいんだ」

耳に吐息をかけられる。こんなことされたのは初めてだった。身体の芯にぼっと炎（ほむら）が立ったようだ。

流星の両手が背中に廻って、ぐっと引き寄せられる。流星の厚い胸板におっぱいが潰れた。こんなに男の身体が硬いとは知らなかった。

流星の手が背中から、ヒップに降りてくる。なんだかむずむずした。

「わかった。連絡待っているよ。きっとまた来る」

由美は身体を離した。のぼせてしまいそうだ。

そこでいきなりエレベーターの扉が開いた。

「あのっ、初回なんですけど、入れますかっ」

濃紺のアルマーニのジャケットに白のTシャツ。ネックレスは相当大きなダイヤモンドのスレンダーな女。真木洋子だった。

「あっ、はいっ、もちろんです」

流星が重厚な扉をあけて、黒服を呼び寄せた。

「新規の姫です。案内してっ」

店の奥からまだ暴れているらしい流星の女の喚き声が聞こえてきた。

「楽しそうっ」

洋子は由美の方を一顧だにせず、店内に入って行った。

「ありがとう。ここでいいよ。はやく馴染みの客の方に帰ったほうがいいよ。私は平気だから。うん、また来るよ」

流星がエレベーターに入ってこようとするのを手で制して、由美は扉を閉じた。

やはりまだ男は怖い。

5

「いらっしゃいませ、真也です」

いきなり四人のホストがテーブルについた。

「はじめまして」

目が眩むようないい男だった。

「あの看板に出ている、億万長者?」

　洋子は思わず聞き返した。

　真也は吹き出した。

「いや、億万長者って言うと、なんだか田舎の爺さんみたいっしょ。億り人って言ってくださいよ」

「それじゃ葬儀屋でしょう。送り人」

　言うと真也は笑い転げた。

「そっちじゃなくって。姫、そうとう面白い人ですね」

　まさに一億円の笑顔で、のけ反ってみせる。たぶんこの店のナンバーワン、歌川真也。いきなり出てきたのは、本人か店の責任者が、洋子を太客候補と見込んだからだろう。

　他の三人は明らかに格落ちで、新人かナンバーに入れなさそうな、うだつの上がらないホストだ。

　端で新人がクリスタルのデキャンタに入ったウイスキーをグラスに注いでいた。就活生が着るような黒のビジネススーツ姿だ。

「あなたの名刺どれだっけ?」

洋子はあえてその新人ホストに聞いた。

「ミツルです。よろしくお願いします」

ミツルは逆の端に座る真也に気兼ねしている様子だ。自分たちはナンバーワンの盛り上げ役だと承知しているのだろう。

このホストを引こう。吉と出るか凶と出るかはわからないが、ナンバーワンより入り込めそうだ。

「まだ初心(うぶ)な感じでいいわね」

「えーっ、そっち趣味ですか？」

真也が、明らかに不機嫌そうな顔をした。

「億万長者は私が応援しなくても、充分でしょう。私、ボランティアをすることで、金運を維持しているの。儲け過ぎると運が下がるから」

洋子は、欧米人がするように肩を竦(すく)めてみせた。

「姫、何やっている人ですか？」

ミツルに聞かれた。

「ギャンブラー」

声のトーンをぐっと下げて言う。

「すげぇ。女ギャンブラー。マカオとかマニラですか？　実は俺も時々いくんです。最近はオンライン専門ですが」

　真也がまた食らいついてくる。ちょっと凹(へこ)ませてやりたいものだ。

「カジノなんていかないわよ。私のギャンブルは相場。トレーダーよ。いちおう相手は世界……」

　笑ってみせた。

「それって、どんだけ稼げる世界なんすか……」

　うだつの上がらなそうな三十がらみのホストが目を丸くしている。

「今朝、五億の利益を確定させた。三か月かかったけどね。辛抱した甲斐(かい)があったわ。ホストだったら看板に乗っちゃうわね」

　と真也の顔を見つめる。

「とても俺らの商売じゃ勝てねぇや」

　とウイスキーグラスを手に取ったが、その眼は赤く燃えていた。

「今夜は、前途有望そうなミツル君に決めた。私、フランスの銘柄で儲けたから、今夜はルイ16世。はいキャッシュよ」

　洋子は、いきなりテーブルの上に銀行の帯封のついた百万円の札束を置いた。

「おうっ」

さすがに真也も目を剝いた。

「ミツル、よかったな。おまえファーストヒットじゃないか。しっかり姫さまに気に入られろよっ」

真也がそう言って立ちあがった。他のふたりも続く。真也は明らかに不満そうだ。

「ほんとに僕なんかでいいんですか」

指名したので隣に座り直したミツルは不安げな顔だった。

「閉店後にいじめにあったりするかな？」

洋子はちょっと心配になった。

「うーん、真也さんの見せ場とっちゃいましたからね。ちょっと嫌な気はしますね。でもなんで、洋子さん、僕なんですか？」

ミツルはおどおどしていた。

「トレーダーの習性よ。いま絶好調な株や物件は買わない。まだ誰もしらない将来性のありそうな案件に投資する。そういうものでしょう」

「僕、将来性ありますかね？」

「真剣にこのビジネスの在り方を模索したらね。きっと次の時代の覇者になれると思うわ。客をお札だと思っているうちはだめだと思う」

「それ、いまのホスクラの全否定に繫がりますね。やばいっす」

ミツルは頭を掻いた。

「ねぇ、今夜、先輩たちに虐められそうならアフターしない？　あと五十万ぐらいなら、落としていくわよ」

「まじっすか」

「適当にオーダー入れて」

と言うとミツルは威勢よく黒服に向かって手をあげた。とにかく一人釣り上げないことには始まらない。

洋子は店内を見渡した。

少し離れた席から、洋子をじっと見ている女がいた。三十代半ば。洋子も見返した。視線が合った。女はすぐに視線を逸らし、担当の肩に頭を乗せた。新たな客をチェックしているのかも知れない。

「知っている方ですか」

黒服にフルーツの盛り合わせをオーダーしていたミツルが、怪訝な顔をした。

「ぜんぜん」

「そうでしょね。洋子さんとは生きている世界が違うと思いますから」

ミツルが快活に笑った。どういうことか、と聞こうとしたが止めた。ホスクラに来る客はさまざまだろう。詮索したところで始まらない。

適当にミツルと会話を楽しんだ。初心で可愛らしかった。

と突然、怒声が聞こえた。

「ふざけんなっ。流星、いつまで私を放置する気だよ。さっきの客がそんなにいいのかよ」

入って来たときから騒がしかった席の女が、泣きじゃくりながらボトルを壁に投げつけていた。

「まぁ凄い」

「週に二度はこんな光景があります。ナンバークラスの人たちの接客時間は限られていますからね」

ミツルは淡々とグラスに氷を入れている。

つづいてカウンターの中にある酒棚にも別のボトルを投げる。

高級そうなボトルが数本割れて、飛び散った。

ホスクラのリアルな修羅場が見物できそうだ。

6

『千の旋風』のビルを出た由美は、うだるような暑さの中、眠気を堪(こら)えながら花道通りからあえて二丁目側へと歩いた。

とにかくどこかで眠りたい。

真木機関の分室のあるビルは、花道通りに面しているのだが、そこに戻るのはタブーだ。

『千の旋風』のある万里ビルに近すぎるのだ。

由美と洋子は今後、分室への出入りは避け、連絡は『純喫茶　芦沢』で行うことにしている。

一丁目の喧騒(けんそう)が嘘のようにラブホ街は静まり返っていた。

今夜のところは、どこか適当なホテルに入って泊まろう。板橋(いたばし)の自宅まで帰る気力は失(う)せている。

うろうろ探しているうちに、足はさらに重くなった。

バッティングセンターの近くのビジネスホテルに入ろうとしたときだ。どすんっと背中に何かが当たった。

「痛いっ」

由美はアスファルトの上に横転させられた。辛うじて柔道の受け身をとる。

見上げるとツインテールの女がよろけながら立っている。若葉と呼ばれていた女だ。ドンペリのボトルを持っていた。

「おまえさ、なに流星にちょっかいだしてんだよ。芸能界で働いているからって、かっこつけてんじゃないわよ」

若葉がボトルを振り下ろしてきた。だが、ふらついている。

「かっこつけてないからっ」

由美はアスファルトの上を回転した。反撃することは出来るが、相手はいかにも華奢な女だ。回し蹴りの一発も食らわせたら骨が砕けてしまうだろう。

転がっていると頭がくらくらしてきた。吐きそうでもある。

「もう流星のところに来るなっ。こっちは人生かけて推してんだ。その顔めちゃくちゃにしてやるよ」

若葉がのしかかってきた。見た目以上に尻は大きかった。シャンパンボトルを振りかざしてくる。目は完全に血走っていた。

「くっ」

身体を捻り、顔に食らうのを避けた。ボトルがアスファルトに叩きつけられ、破片が飛び散った。由美の顔にもいくつか突き刺さる。

「なんでだよ。なんでちゃんとした仕事を持っている女が、ホスクラなんか来るんだよ。おまえらは普通の男でいいじゃんっ」

若葉は割れたボトルをまた振り上げた。

これを食らったらちょっとまずい。

由美は思い切り身体を捻り、若葉を振り落とした。

「私、眠いんだってばっ。ホス狂いにかまっている暇なんかないよ」

走って逃げたいところだが、身体が重くてだめだった。由美は這った。ビジネスホテルの横が大きな駐車場だった。

その中に入り込む。

「うるさいっ。流星に近づく女は、全員殺すっ」

若葉がツインテールを振りながら、追いかけてくる。異常にタフだ。これはクスリできまっているのかも知れない。

由美の方はミンザイで身体が縛られている状態だ。

「超面倒くさっ」

寝転がりながら大型高級セダンの車体の下に逃げ込んだ。ひと息つけた。

「こらぁ、どこだよっ。流星は、流星はね、私だけのものなんだからっ」

若葉は泣いていた。すぐ近くをうろうろしている。由美は息を潜めた。パーキングは煌々としたライトに照らされていた。

数人と思える足音が聞こえてきた。

「おいっ、いたぞっ。ボトル持った、いかれた女だ。まず仕置きだ。ひん剝こうぜ」

男の声だ。

「おうっ」

アスファルトに映る影が躍った。

「いやっ、なにすんだよ」

若葉が割れたシャンパンボトルを振り回した。

「ホスクラで暴れてただで済むと思ってんのかよ。思い知らせてやる」

いきなり男が蹴りを見舞った。

「ぐふっ」

若葉が股間を押さえて蹲った。流星はもうおまえとなんかやりたくないとよ」

「その腐れま×こを使えないようにしてやる。流星はもうおまえとなんかやりたくないとよ」

由美の視線の三メートル先で、男が三人がかりで若葉のワンピースを捲り上げている。パンティばかりでなく、ブラジャーも丸見えになるぐらいまで、すっかり捲ってしまった。どちらもピンク色だ。

「嘘よ。流星は私と結婚するんだよ。来月には店を辞めて、私と一緒に高円寺でスナックをやるって約束したんだ。先週、物件まで見に行っているんだよっ」

捲れたワンピで顔をすっぽり覆われた若葉が喚いている。

「それが夢芝居のラストシーンだ。それで幕だ」

男のひとりがその股間に蹴りを入れた。アッシュブラウンの髪をオールバックにした男だった

恥骨が折れるのではないかと思うほどの強い蹴りを見舞っている。

「あうっ。仕事出来なくなるよ。まんちょ、壊さないでっ」

若葉の悲鳴が黒空に吸い込まれていく。

男がグリースで固めたオールバックの髪を振り乱しながら、何度も股間を蹴って

いる。

「おめぇ、さっき他の女の客に流星に近づくな、と喚いていたが、おまえがもう近づくんじゃねぇ。いいかっ、あの店は俺たちサッズが仕切っているんだ。店を壊された分は、ホストへの課金なんかじゃすまねぇ。きっちりカタをつけさせてもらうぜ」

今度は顔面を蹴った。

いかにもハイスペックそうなスニーカーの尖端が若葉の顔を直撃する。

「あぁっ、顔も壊さないでっ」

こいつらはスカウト集団『サッズ』ということだ。スカウトしたメンバーの収入から十五パーセントを永遠に搾取し続けている連中だ。

けれども客と厄介なことになれば、こうして出てくる。華岡組系だ。

こいつら若葉を一体どうする気だ？

別な男が鋏と電気バリカンを出した。陰毛を剃るのかと思ったら、ツインテールを根元から切り髪の毛を剃り始めた。パイナップルのような髪型の男だった。

「いやぁあああああ、なにすんだよぉ」

「つるっ禿げだ」

「やめろよぉ。やめろぉ」

ジージーとバリカンのモーター音が鳴り響く、その間にブラジャーとパンティも剝ぎ取られている。

股間を蹴っていた男がベルトを外し、ズボンを降ろした。坊主にされた若葉の頭を抱え、咥えさせている。

「んんんっ、うぎゃぁああ」

若葉の額が男の臍（へそ）下にくっつくほど頭を押し付けられている。男の肉の尖端が、喉を越えているに違いない。

目撃している由美は戦慄を覚えた。

若葉の口の周りから、涎（よだれ）の糸が何本も落ちている。男が若葉の頭を振り続けた。

「うっ。出るっ」

オールバックの男が空を見上げ、尻をぶるぶるっと震わせた。しばらくそうしてから陰茎を引き抜いた。

ほぼスキンヘッドにされた若葉は目も口も開けたまま涙と涎を流し続けている。

声が出せないようだ。

その様子を見ていた別な男が、持っていた紙袋からウイスキーボトルを取り出した。安ボトルだ。

キャップを抜きネックを若葉の口に差し込み、どぼどぼと流し込んでいく。

「ぐふっ、ふわぁ」

腹を押さえながら、若葉は倒れた。ごぼごぼとアルコールを噴き上げている。

「小泉、この女の穴に挿してみるか」

オールバックが聞いた。

「いや、こんな潰れま×こ、いらねぇよ。周藤はまじ輪姦が好きだなぁ」

パイナップル頭が肩を竦めている。

「流星ほどじゃねえよ。あいつ一対一じゃ抜けねぇだってよ。学生時代からそうだ」

オールバックの周藤勇仁が笑った。サッズの代表なはずだ。流星とは学生時代からの知り合いらしい。

若葉はヒックヒックと痙攣しながら、横たわっている。

パイナップル頭の小泉が若葉のウサギのマークがついたトートバッグを漁った。

「原チャリの免許がある。本名シンプルだな。中村幸恵。二十一歳。本籍地は江戸川区、現住所は大久保とある」

「なら書類ひっぱるのにたいした手間はかからない」

周藤がそういい、再び若葉の顔を覗き込んだ。

「お前、中国人の嫁になれ。それで子供を産め。いいな。それで店の弁償代は俺らが持ってやる。おとなしく言うことを聞いて、髪の毛が元の長さに戻ったら、俺らがまた流星との仲を取り持ってやる。心配ない、そいつはいい男だ」

「……また流星と会えるなら、何でもする……」

若葉が震えるような声で言っていた。

周藤たちは若葉を抱えると、ミニバンに乗せて連れ去っていった。

中国人との偽装結婚——国籍取得のためだ。

第五章　地獄の釜

1

「北条、おまえもいっぱしの社長になってきたな。八月も店舗売り上げ一位だ」

万里ビルの六階にある『万里観光』のオフィス。

会長の張本幸太郎が葉巻の煙を燻（くゆ）らせながら、帳簿を閉じた。

「六月の事件以降、従業員を引き締めました。その効果が出ているんだと思います。トップスリーが手を抜かずに競い合ってくれています」

真琴は謙虚に答えた。噴き上がるとすぐに叩（たた）かれるのが水商売だ。どれほど実績を上げても、大きな態度をとらない。それが雇われ社長の振る舞い方だ。

「そうは言うが、七月も八月も、北条自身が二千万ずつ売り上げているじゃないか。

現役に戻るつもりかよ」

張本は綺麗に撫でつけた銀髪の頭を撫でながら、執務机から応接セットに向かってきた。機嫌のよい顔だ。

北条は直立不動だ。

――渡辺三波からの売り上げが大きかった。

三波は週に二度やってくる。平均二百五十万は使う。月に八回の来店で、きっちり二千万だ。それもきっちり一時間で帰るという綺麗な遊び方だ。

絶対に手放せない女だ。

真琴は先週初めて三波と寝た。

*

「プライベートでやるなんて三年ぶりよ」

横浜の港が見える高層ホテル。その最上階の部屋で、三波は窓辺に両手を付き、尻をこちらに向けていた。

真っ赤なサンドレスだ。形の良いヒップが浮かび、下着のラインは見えなかった。

「仕事っぽいポーズだな」

窓に映る三波の顔に向かって言う。真琴はすでにトランクス一枚になっていた。暗い港の向こう側にライトアップされたベイブリッジが浮かんでいる。

「こんなポーズでもしていないと照れくさいのよ。結構このポーズ、リクエストが多いのよ。自分で捲れ、とか命令されちゃったりしてね」

「俺は、命令なんてできない。むしろ希望を聞きたいぐらいだ」

そういう声が上擦っていた。

ガラにもなく気持ちが昂っている。

世界レベルのモデルと見紛うスタイルに魅了されるのは当然だが、それ以上に真琴は、三波の愛嬌のよさに参っているのだ。

店に頻繁に来るようになって二か月になるが、三波は一度も傲慢な態度を取ったことがない。かといって気取っているわけでもない。

常に自然体で、ゲラゲラ笑い、とことん飲んで、真琴の背中や太腿を叩きまくる。まるで幼馴染と会っているような感覚にさせられるのだ。

昨日はパリにいて今朝帰ったばかりという日も、明日はジャカルタの富豪が相手という前夜も、ずっと歌舞伎町で飲み続けている女と変わらない。

ある夜のアフターで寿司をつまみながら、世界中を飛び回っているのは嘘ではないかと聞いたら、あははと笑って『朝まで飲むから羽田まで送ってよ』と切り返された。

その通りにすると三波は、羽田からアムステルダムに出掛けて行った。パスポートも見た。チケットも見た。ビジネスクラスで帰りは翌日だった。

特に荷物は持っていない。エルメスのトートバッグ一個だけだ。

翌日の午後十時、三波は店に帰ってきた。いつものように、あはは、と笑いながらだ。

『お帰りっ、姫っ』というホスクラの決まり文句が、このときほどマッチしていると思ったことはない。

心が動かされていた。ヤバいと感じている。

「裾を捲って、生尻をじっくり撫で回して欲しいわ」

ベイブリッジを眺めたままの三波が、ちょっとだけ照れ笑いを浮かべたように見えた。可愛らしい。

背後からそっと近づき、サンドレスの裾を捲り上げる。

単に美脚という形容では表現しきれない、艶やかで張りのある脹脛と太腿に目を奪われた。

ヒップは見事に盛り上がっている。生白い肌ではなく適度に日焼けしているので、やけに健康的に見える尻だった。

やはり下着は付けていなかった。

尻のカーブに沿って、下から上に撫であげる。むっちりとしていた。

「触り方、おっさんぽい」

三波がぼそっと言う。真琴は焦った。

「ダメか」

「大好き。ねちねちされた方が嬉しいタイプ」

安心した。思い切りおっさんぽくなることにした。

三十六歳は実に中途半端な年頃だ。若くもなければおっさんでもない。今夜の真琴はおっさんに徹することにした。

妖艶にして美形すぎる三波の尻山を、思い切り左右に広げてやる。搗き立ての餅を伸ばしている感じだった。

尻の割れ目が大きく開き、間から女の亀裂が覗けてきた。紅い裂け目がくわっと開き、濡れた花が溢れ出ていた。甘いコロンの匂いと牝の発情臭がまじりあって舞い上がってくる。

「いやんっ、それ凄くスケべっぽい。私かっこ悪いわ」

こんな覗き方をする客もいるにはいるだろうが、三波は顔を真っ赤に染めた。本気で恥ずかしがっていると感じると、真琴の肉茎は一気に硬直した。

すぐさまトランクスを脱ぎ、サラミソーセージのように硬直した逸物を曝け出す。

「舐めようか？」

「いや、このまま後ろから抱きしめたい」

肉の尖端を開いた太腿の間に入れながら言う。

「私もそのほうが嬉しい」

三波がみずからサンドレスの肩紐を解いた。するりと落ちていく。欧米人を彷彿させる巨大でなおかつ形のよいバストが窓に映った。

ピンクの乳首はサクランボサイズだ。

真琴はその背中に抱きついた。腰を密着させ、尻山に男根を擦りつけながら、両手でバストを揉んだ。

真琴の気持ちは急いていたが、決して荒々しくならないように、乳房の外脇から内側にゆっくりと押した。

セラピストの羽生雪彦から教わったスペンス乳腺愛撫だ。真琴はホストだけではなく密かにセラピストを雇っていた。

いずれホスクラ以上のビジネスになると読んでのことだ。

「ぁあっ。そこはウィークポイントだわ、乳首がぴくぴくしちゃう。ぁああん」

「あからさまで下品か？」

真琴は聞いた。営業用のセックスばかりしているので、早くいかせようと性感帯ばかりを攻める癖がついている。

その癖が出たか？

「そんなことない。とっても気持ちいい。これ仕事じゃ得られない感覚よ。気持ちがはいっちゃっているから、よさが違うのよ」

「そんなことを言われたら、俺ものめり込んじまうよ」

真琴は背後から三波の乳房を揉みながら、亀頭を秘肉に当てた。濡れた花びらに肉の尖りを擦りつけると、三波が、

「ひっ」

と尻山をくねらせ、乳豆をさらにしこらせた。

前髪が額に垂れ、吐く息が窓を曇らせている。切なげな眼が、挿れてと訴えてい

るようだ。

もはや丁寧に愛撫を続けている余裕はなくなった。

右手で棹を握り、尖りを秘孔に当てた。ぐっと腰を送る。ぬるっと亀頭が膣口に嵌まり込んだ。

「んんんっ」

三波が右の頬を窓ガラスに押しつけた。歪んだ顔もとてもエロティックだった。

「俺は色恋営業なんてしてないからなっ。これはマジ恋だから」

真琴は三波にというより、自分に言い聞かせるようにいい、腰をさらに押し込む。根元までずっぽり嵌めた。膣がぐぐぐっと窄まった。

「はうううう」

三波は顔をくしゃくしゃにし、涙と涎を流し始める。男は女が悦ぶほどに興奮するものだ。

真琴の発情もマックスまで上がった。抜き差しするよりも、そのまま後ろからのしかかり、亀頭で子宮をぐいぐいおした。爪先をあげ、亀頭が届く限界まで腰を重ねていく。動物的な挿入だ。

「んはっ、うぐっ」

子宮を潰され続け、極まったのか三波が窓ガラスにゴンと頭を打ち付けた。

「いくぞっ」

真琴は尻を跳ね上げ、どすんっと打ち返す。膣口からびちゃっと蜜が跳ね上がる。

「ひぃいいいいいいいいい」

三波が両手を窓ガラスに付け、背中を脈打たせた。一気にボルテージが上がるのがわかる。真琴は夢中で腰を振った。ビシッビシッビシッと肉穴を穿っていく。三波の両脚の内腿がぷるぷると震え出している。

「あぁ〜　もう、立っていられない」

三波が頽れた。肉がいったん離れる。

ぶ厚い絨毯の上にカエルのような格好になった。

正直無様な格好だ。

だが、こんな格好は決して客には見せないのだろうと思うと、よけいに愛おしくなった。

うつ伏せの三波に再び重なり、無防備に晒されている肉まんじゅうに、ぐさっと差し込み、後ろ抱きに乳房も愛でた。

「ああん、気持ちよすぎるっ」

「俺もだ」

ずんちゅっ、ぬんちゃっ。フルピッチでの抽送を開始した。

三波の膣層はまさに一級品だった、これだけとろ蜜に満たされると、逆に滑りすぎて感度が鈍ることもままあるのだが、三波の膣は絞り込んでくる。

「はうっ」

あっという間に精汁が亀頭に充満し始めた。

「すまん、出そうだっ」

「出してっ、いっぱい出してっ。私、もう何度も昇(い)っているから遠慮しないで、出してっ」

「なら、ドバっと浴びせてやる」

真琴は、ラストスパートに入った。最後までバックに徹し、腰を波のように振りながら、両手で背後から乳房を揉んでやる。

「あっ、ひゃはっ、また来る。あんっ、気持ちよすぎて、おまんちょがパンクしそう」

三波ががくんっ、がくんっと痙攣(けいれん)し始めた。

「おぉおおおっ、出るっ」

亀頭の切っ先が割れ、堰を切ったように精汁が飛び出した。

「あぁあああああっ。びゅんびゅんくるっ。いいのよ、すごくいいのよ、相性が」

三波は一瞬、背筋を反らせ顔を上げたが、すぐに糸の切れた操り人形のように、また前方に倒れ、そのままハァハァと荒い息を吐き続けていた。


ザーメンをすべて出し終えたとき、真琴はふとこの女と一緒になるのが、もっともよい選択な気がしてきた。

二日後の昼、レンタカーを借りて成田空港まで送りに行く途中、とりあえず同じ家で暮らしてみないかと聞いてみた。

三波の答えは予想通り、ＯＫだった。

歌舞伎町に通いやすく、なおかつ客には本カノとの同棲を知られないように、西新宿のタワーマンションを借りた。

三波と暮らし始めている。

*

です」

「現役なんてとんでもありません。自分はもう裏方に徹したいと思っているぐらい

真琴はそう言いながら張本の真向いに腰を下ろした。三波と暮らし始めたのを機会に、本格的に経営者としての道を歩もうと思っているところだ。

「それはそれで構わんが、華岡組の方が芸能界ルートを何としてもこじ開けたいといっている。うちとしてもなんとか貢献したいんだがな」

張本が葉巻の煙を燻らせながら、じっと真琴のことを見据えてきた。新人女優を食いそこなったことをオーナーは憎々し気に思っていることは確かだ。

逆転の準備は着々と整えていた。

「あの新人女優のマネージャーを捕まえてあります。うちの店ではない場所で、調教中です。そろそろコントロール出来るかと」

真琴は斜向かいのビルにあるヘアサロン『美・サイレント』をいずれ買い上げようと思っている。あの店を拠点にして、渋谷や池袋などへもヘアサロンを広げたい。

ヘアサロンとホスクラは親和性がある。

女はどうせならいい男に髪を整えてもらいたいし、そこでの会話を楽しみたがる。ヘアスタイリストにはホスト的な要素もある。

ホスクラへのインターフェイスには都合のよい場所だと思う。

そこに羽生雪彦のようなスタイリスト兼セラピストがいたら、一気に女を引っ張り込めるというものだ。セックスの魔力は覚醒剤と似た禁断症状を生むものだ。

「ほう。それはいい。きちんとリカバリーしているな」

張本が頬を緩めた。


実は偶然だ。思いもよらず黒崎加奈子が『美・サイレント』へやって来たにすぎない。

もちろん、そんなことは正直には伝えない。いまは自分を高く見せた方が得というものだ。

「来週頃から、彼女に芸能人女性をうちの店に連れてこさせる予定です。他にスタイリストの女を流星に育てさせています。その女、タレントには相当恨みがあるらしいので、流星が鎖を掛けることに成功すれば、確実に使えます」

真琴は現状を報告した。新入りのミツルが太い客を捕まえつつあることは伏せた。すべてを語ってしまっては次回の報告事項がなくなってしまう。

「なるほど。だが北条、仕掛けをもっと急げ。周辺ではなく女性タレントを食ってくれ。時間がなくなってきている」

　張本が妙なことを言った。

「オーナー。時間がないとは、どういうことでしょう。何か切迫した問題でもあるのでしょうか？　差し支えなければお聞きしたいのですが」

　慎重に言葉を選んで尋ねたつもりだ。

　だが、張本は口を曲げた。不快そうに天井を見上げる。やはり不興を買ったようだ。張本は質問はするが、されるのを好まない性格だ。

　真琴は失敗したと思った。

　十秒ほどの沈黙が重苦しかった。これは早々に引き上げたほうがよさそうだ。

「分際を弁(わきま)えず、申し訳ありませんでした」

　真琴は詫(わ)びて、立ち上がろうとした。

「稼げる時間はもうあまりないかも知れんということだ。都や国がホスクラを潰すための法をつくろうとしている。そうなると商売が立ち行かなくなる。急ぐ理由だ」

　張本が、まぁ座れというふうにソファを指さす。真琴は浮かしかけた腰を戻した。

「ヤクザを潰したような法律ですか？」

「そうだ。法を作るのには多少時間が掛かるだろうが、それまでの間に、なんだかんだと嫌がらせ捜査をかけてくるだろう。いきなり踏み込んで来たときに、客に未成年がいたら営停六か月なんてのをかけてくる」

　六か月の営業停止を食らったら、客のすべてを他店に奪われると同時に、ホストも移籍してしまう。事実上の廃業に追い込まれることになる。

「そう言えば昨年暮れ、警察庁長官がわざわざ歌舞伎町を視察に来ましたね」

　その様子がテレビのニュースで流れたのを思い出した。

「あれは国が本気でホスクラを潰すというサインだ。いろいろ仕掛けてくるぞ。まずはビルボードを締めあげてくる」

　そう言えば最近、条例違反の摘発が増えだした。真琴も看板のサイズが十平方メートル以上だと許可を得る必要があるなど知らなかった。

「ホストにとってボードに載るのは、第一の目標ですから」

　ビルボードに顔を出せるのは売り上げ上位と決まっている。客は推しをボードに載せたくて大枚を払うこともある。

　そしてボードに大きく顔が掲載されると、歌舞伎町の有名人になり、指名はさらに伸びる仕組みだ。

「それを壊しに来る。これから先、現行法だけでやれる限りの取締りをしてくるだろう」

張本が葉巻を、灰皿に押し付けた。

「たまりませんね」

「俺たちとしては、そうした法律を作らせないようにしないといかん」

張本が射るような視線を向けてきた。もともとはチャイナマフィアだった男だ。その眼光は鋭い。真琴は生きた心地がしなかった。

「はい」

「華岡組を動かすにも、人質になるような著名人が欲しい。芸能界から入るのが手っ取り早い」

窓から差し込む夕陽が、張本の顔を赤く染めあげた。

「まずは芸能人を手籠めにかけて、そこからマスコミ、政財界と広げるのですね」

おおよその見当はつく。

「そういうことだ。おまえらがひっかけた女たちを華岡組が利用する。わかるな……いまが勝負に出る時期でもあるんだ」

張本がバンっとローテーブルを叩いて立ち上がった。窓際に寄り、各店舗のビルボードを眺めながら、新たな葉巻を咥えた。真琴は飛んでいきライターの炎を差し出した。

「ホスクラは水商売の在り方も変えた。女を虜に出来る最大のビジネスだ。これからは中国ホストを入れたい。北条、お前それが出来るか？　いずれは日本中に広げる」

「えっ？　日本人ホストではなくですか？」

「そうだ。男を虜にするチャイナパブやフィリピンパブがあるように、チャイホスを作る。おまえ、その先駆者にならんか。資金は俺がすべて出してやる。独立してやってみないか。欧米人の客はまだ初心だ」

　張本は窓の外に目を向けたまま言っている。

「自分が中国人ホストを仕切るのですか？」

　さすがに戸惑った。

「そうだ。日本のホスクラのような風俗はまだ世界中のどこにもない。特殊詐欺をマニラやバンコクに輸出したように、中国人の男にノウハウを教え込むんだ」

　張本が振り返った。背後から夕陽が差し込んでいるので、眩しくてその表情はわからなかった。

自分が思っていた形式とはやや違うが、またとないチャンスだ。鳥肌が立った。

「喜んでやらせていただきます」

即答した。

「だったら、今のビジネスで芸能人の取り込みをしながら、次のビジネスの準備をしろ。仕事というのは今日のことに没頭していると先細りする。未来のことばかり考えていても、食っていくことが出来ない。両方を並行させて動かせる人間だけが成功する。わかるか？」

張本が煙を吐いた。真琴は肝に銘じることにした。

ホスクラのビジネスモデルが限界に来ているのは、自分が一番よく知っている。これからは韓流やチャイナのホストもありだろう。インバウンドの時代だ。欧米人の観光客を蕩けさせたら、無限に稼げそうだ。

ホスクラはすでに飽和化しているのも事実だ。次は絶対に女風が完全ブレイクする。そこに進むべきだ。

「それとな、北条。俺はちょっとしたリベンジがしたいんだ。個人的にな」

「個人的なリベンジですか？」

張本が珍しくそんなことを言い出したので、真琴は不思議に思った。

「誰にでもあるだろう。晴らしたい恨みが」

張本はまた窓際に寄った。通りを眺めたまま押し黙り、わざわざ窓を開け、葉巻の煙を思い切り吐き出した。

斜向かいの古い煉瓦建てのビルを凝視しているようだった。

真琴はその背中に一礼し、応接室を後にした。

2

夏の終わりが近づいていた。近頃は歌舞伎町にもときおり涼しい風が吹き抜ける。

真木機関の潜入捜査も佳境に入っていた。

「流星というのは相変わらず、最低な罠ばかり仕掛けていますよ。昨日は都庁職員の妻に隠し撮りしたセックス中の写真を見せて脅していました」

二階堂由美がホットドッグを齧りながら話しかけてきた。

花園神社の本殿前の石段だ。

蟬の啼き声がかまびすしい。

こんな場所がミーティングにはちょうどよい。それぞれ違う仕事の者が、たまたまここで出会った体がとれるのだ。

「脅して何をさせようというの」

洋子はシアトル系カフェのエスプレッソの入った紙カップを持参していた。

「その客の亭主は都市整備局勤務です」

由美ががぶりとドッグを噛んだ。ドジャースが勝ったので機嫌がよい。任務が明けたらドジャースタジアムに行って、ホットドッグを食べながら、ムーキー・ベッツに声援を送るのを楽しみにしているらしい。

「ビルボードの規制の抜け道を探そうというのね」

洋子が答えた。ちなみに洋子はエンゼルスのマイク・トラウト派だ。

「そういうことだと思います。たぶん、今夜あたり都庁に勤める旦那さんに直接、サッズのメンバーが接触すると思います」

サッズはスカウト集団だが、事実上華岡組の下部組織の半グレだ。松重が協力を求めた旧新闘会系の半グレ集団ミゼルとは熾烈な縄張りを争いをしている。

鳥居の方から、コンビニのレジ袋をぶら下げた相川将太が歩いてきた。

「相川先輩、きっととんかつサンド二個買ってきてますよ。それに糖分たっぷりの缶コーヒー」

由美がいう。

「私は、幕の内弁当にウーロン茶だと思う。ああみえて健康管理はしっかりしていると思う」

洋子は答えた。

「『純喫茶　芦沢』のショートケーキセットを賭けましょうか？」

「乗るわ」

にやにやしながら相川が来るのを待っていると、その背後から内閣府の本店にいるはずの岡崎雄三がやってきた。岡崎は手ぶらだ。

先に相川が目の前にやってきた。この二か月間、万里ビルの警備員をしながら、五軒のホスクラと六階のオフィスの様子を監視している。

「万里観光、歌舞伎町のビルボードを専門に扱う広告業も始めましたよ。花道通りの看板はすべて五年先まで押さえたようです」

言いながら由美の隣に腰を下ろした。『千の旋風』に客として入った由美が危険な目に遭わないように目を光らせてもいる。

「ホスクラのボードがやり玉に挙がって撤退する店も増える中、逆に一挙に押さえるとはさすがですよ。花道通りのボードを押さえるということは、どんな業態の店がトレンドになっても、宣伝は万里観光が握るってことですよ」

と相川はレジ袋を開いた。

「ということは、万里観光の張本幸太郎はホスクラがぼちぼち衰退させられるということを、意識して次の手を捻りだそうとしているのね」

洋子は相川のレジ袋の中を覗いた。

取り出したのは糖質オフの健康おかず弁当に黒烏龍茶。

「ほらね。ショートケーキセット、奢ってもらうわっ」

洋子は拍手した。

「ええええっ。いつもビルでは缶コーヒーに肉まんとか齧っているじゃないですかっ」

由美は愕然としている。口の端にトマトケチャップがついている。

「当たり前だろう。潜入先では、真逆のキャラを出しておくもんだ。いかにも不健康そうな男を演じていたら、周りの連中もたいしたことない奴とみるだろう。それでいいんだ」

相川が由美を見下すように言った。

「私、まだぜんぜん修業たりてない」

「神社の石段で楽しい昼食会ですか？　なんか分室が羨ましいですね」

グレンチェックのスーツにノーネクタイ。サングラスを掛けた岡崎がやってきた。

「その恰好(かっこう)、大手町界隈(おおてまちかいわい)ではエリートビジネスマン風なんだろうけど、ここいらだと堅気(かたぎ)のふりした本職(ヤクザ)にしか見えないんだけど」

キャリアの後輩を揶揄(からか)ってやる。

「中国の国家安全部がホストに化けた工作員を使って日本の女をたぶらかそうしている情報、ようやく裏が取れたのに、そういうこと言いますか」

岡崎はスーツが汚れるのがいやなのか、石段には座らず立ったままだ。

「やっぱそうなんだ」

相川が膝を打った。一次情報は相川が摑(つか)んでいる。先週のことだ。万里ビル六階のオフィスでオーナーの張本と真琴が打ち合わせをしている様子を盗聴したのだ。

相川は盗聴器を常時仕掛けているわけではない。

相手も素っ堅気ではないので用心し、五階から真琴が呼び出されたり、華岡組の幹部がやって来たときだけ、屋上の床にコンクリートマイクを置くことにしているという。

真下がオーナーの応接室になっており、拾った音声は、斜向かいにある真木機関の分室でキャッチすることが出来る。

　小栗がすべて録音していた。

「妙なところで公安事案と繋(つな)がったわね」

　洋子はエスプレッソを一気に飲み干した。

「桜田門(さくらだもん)の公安(ハム)に引き継ぎますか？」

　元は公安部外事二課の諜報員(ちょうほういん)である岡崎が聞いてきた。

「いいえ。真木機関だけでやります」

　洋子はきっぱり言った。

「国家の安全保障が関わっている可能性がありますがいいのですか？　真木機関は今回、風俗捜査(エロ)に徹するはずですが」

　岡崎が渋い顔する。

「すでに罠(わな)に落ちた官僚の人妻とか、色々いると思うのよ。その情報を公安が握ったらヤクザ以上に恫喝(どうかつ)するでしょう。ねぇ岡崎君？」

　公安はそういう部署なのだ。

「はい。協力者ネットワークはどれほど増えても、もっと欲しいというのが公安という部署ですから。内閣情報調査室(サイロ)も同じでしょう」

「喜んで協力する人たちを私は否定しない。けど恫喝して情報を持ってこさせるのはどうかと思うわ。日本は独裁国家じゃないから」

洋子はきっぱり言った。

「真木機関だけで対応すると？」

岡崎の言葉に、相川と由美も洋子の顔を見た。

「私たちが潰すのは万里観光というホスクラ。そこにあった情報は永久に保秘します。工作員としてのチャイナホストの問題は公安と内調が自分たちで探し出して、隠密裏に逮捕するか国外退去させるべきでしょう」

「あっ」

と岡崎が本殿を見上げた。洋子が振り向くと、松重が石段を降りてきた。市松模様の浴衣に下駄だ。

「定年退職後の風流な老人に見えないか？」

洋子たちのところまで降りた松重が言う。全員、首を横に振った。

「昭和のヤクザにしか見えません」

と由美。

「どうせなら帯にドスを差したらどうですか？」

相川までもが茶化した。

松重は顔を顰め、

「ミゼルにスカウト狩りをやらせる。もちろんマトはサッズだ。見つけ次第、徹底的にボコるそうだ。警察は三十分は動かねぇ。そういう協定だ」

ドスをきかせた声色で答えた。

「やっちゃってください。サッズを壊滅させないと、ホスクラで借金を背負った女たちが、どんどん中国人と結婚させられます」

女が拉致されるのを見た由美が、拳を突き出した。

「追って、私たちの決行日も決めます。万里ビルをふっ飛ばしましょう」

洋子は立ち上がった。

一番巨大なホスクラグループを潰すことで、自粛を求める。それ以外に即効薬はない。

3

歌舞伎町一番街通りの『純喫茶　芦沢』。

「ショートケーキってやっぱりケーキの女王だと思う」

洋子はフォークを口に運び、笑みを浮かべた。

「私はモンブランです」

由美はモンブランとエスプレッソを交互に口に運んでいる。

芦沢のスイーツは自家製というわけではない。量産品を仕入れているだけだ。だが、なぜかここで食べるケーキセットは美味なのだ。たぶん強烈なほどに濃厚なコーヒーの香りとレトロなインテリアが醸し出す独特な雰囲気のせいだ。

歌舞伎町というハイスピードで動く町の中にあって、ここだけはときが止まっている。昭和のままなのだ。

「悪いわね、ご馳走（ちそう）になって」

食べ終わり、ブレンドコーヒーで甘味を引き締めた。

「負けは負けですから」

由美がいかにも勝気そうな目を向けてきた。

「ほんとに処女じゃないの？」

また聞いてみる。どうしても気になるのだ。

「セクハラです」

由美の目が尖った。

「そうじゃないわ。心配しているのよ。流星がいつ牙を剝くかわからないのよ。そこにあなたをつけているんだから、上司として責任を感じるの。もしそうだったら大変なことになる」

「危険は承知の上です。自己責任で臨んでいるつもりですが」

「ほんと処女じゃないのね」

念を押した。由美は頬を赤くした。

「どうして、そんなにしつこく聞くんですか」

声を荒げそうになったので、手で制した。

「私が任務中に処女を失ったからよ。いまのあなたと同じように自己責任だと割り切っているけど傷ついたのは事実だわ。処女膜殉職なんて笑ってごまかしているけど、これ一生、記憶に残るのよ」

これを言うのは初めてだった。

由美が押し黙った。

最後の突撃任務からは外そうと思うが、洋子はまだ逡巡していた。過保護すぎてもいけない。上司として塩梅がむずかしいところだ。

もう少し話をしたいところだったが、ふと窓外の通りを見やると、悄然と歩く黒崎加奈子の姿が見えた。

頬が削げ落ち、目も窪んでいる。まるで薬物中毒者のような顔だ。心なしか服装も見すぼらしく見えた。かなりよれた灰色のスカートスーツだ。

「二階堂、ちょっと出てくる。話はいずれまた。ご馳走になるわね」

洋子は店を飛び出した。雑踏の中、加奈子を追った。

「加奈子ちゃん、どうかしたの？」

追いついて腕を掴むと、加奈子はわっと泣き出した。洋子は肩を抱き、店に連れ戻した。

すでに由美の姿はなかった。

「お客さん、訳ありのようですね。二階席へどうぞ。上はいまは使っていないので誰もいません」

マスターの芦沢がカウンター横の扉を開けた。階段だった。二階も往時をしのばせるようにソファがいくつも並べられていた。

「もう年なんで、二階までトレイを持ってあがるのがしんどくなりましてね。娘が継いでくれたら、また上も開けようと思って、そのままにしてあるんです。どうぞ窓際の席へ」

芦沢に案内された。一番街通りが見下ろせる席だった。

礼を言い、ブレンドをふたつ頼んだ。

「クスリとかやっていないよね？　芸能界ならいくらでも手に入れられるルートがあるわね」

洋子は、刑事としてではなく中学の先輩として聞いた。

「薬物はやっていないです。でも私、狂ってしまっているんです。もうどうしたらいいかわからなくて」

「力になるわ。事情を聞かせてよ」

そう聞いても加奈子はうつむいたままだ。肩が小刻みに震えている。

「ひょっとしてホストに嵌まった？」

直球を投げてみた。

「ホストよりもたちが悪いです。私、もうセックス依存症になってしまって」

「はい？」

聞き直さずにはいられなかった。ありえない病ではないだろうが、その当人と出会うのは初めてだ。

「女専用の風俗です。セラピストに嵌まってしまったんです」

加奈子が下を向いたまま言った。

「高額なの？」

「はじめは五万円ぐらいだったんですが、慣れるにつれて高額を要求されるんです。いまは六十分二十万だと……」

それは高い。男が通いたがる高級ソープでも総額十万程度だろう。しかも二時間だ。無茶をはじめているのはホスクラだけではないようだ。

洋子の胸に新たに怒りが湧いてきた。

どこまで女を食い物にする気だ。

「あの、聞きにくいことだけど、マッチングアプリなんかで出会うと、逆にお金を貰（もら）えるんじゃないの？」

出会い系やパパ活は、売春なのだが、個人間の取引であれば、これを罰する法律はない。警察が取り締まることが出来るのは管理売春。売春行為を斡旋（あっせん）し管理していたものに対してだ。

性活安全課時代、もっとも苦労したのは、その実態を押さえることだった。

「腕が全然違うんです。プロのセラピストの味を知ったら、素人と普通のエッチなんかでは満足しなくなります。すみません、あからさまな言い方で」

加奈子は太腿の上で、拳を握りしめていた。

確かにあからさますぎて、頭がくらくらとなりそうな話だ。

ホスクラとセラピスト。

この状態を放置し、両者の関係がさらに深化していったならば、これからさき、途方もない人数の女たちが食い物にされるということだ。

洋子はふつふつと湧き上がる怒りを感じたが、ここでは懸命に抑えた。まずは後輩を救うことだ。

「セラピストは他にいないの？」

「それも試してみたんですけど、私、雪彦じゃないとだめなんです。きっと恋愛感情もはいってしまっているんですね」

これは、ホストとセラピストの融合系なのではないか。新手の風俗だ。

「これからも、どんどん金額が吊り上がっていくんだろうね」

恐らくそういう寸法だ。セックスという麻薬を打っては、リピートの価格を上げていくのだ。

「そんな感じです。雪彦はこのところ指名がはいりまくっているので、時間が作れない。三十分で五十万を出す客が、たくさんついたので、もう私とは無理だって……それで、それで、私やっちゃったんです」

加奈子はここでまたわっと泣き出した。洋子は動転した。

「やったって、加奈子ちゃん、刺しちゃったとか」

そうだとしたら大変なことだ。

「違います。殺したいですけど、まだやっていません」

ヒックヒックと肩を揺らして泣いている。

「やったらだめだからね」

「はい。やらかしちゃったのは、タレントを巻き込んじゃったってことです。これ、私たちの業界ではタブーなんです」

よく意味が分からない。

「どういうこと？」

「雪彦が金の代わりに、タレントをギャラ飲みに連れてきてくれたら、三回ぐらいは五万でしてくれるって」

「連れていっちゃったんだ」

訊くとうなずきまた泣いた。泣き続ける女ってちょっとうざい。いい加減になさいっ、と怒鳴ろうとしたところで、芦沢マスターがブレンドコーヒーを運んできた。

なぜかモンブランとサババランもある。

「頭が沸騰しているときには美味しいケーキです。怒りも哀しみも、美味しいケーキを食べると、とりあえずハッピーになるものですよ。酒だとバッドになっちゃいますからね。ケーキでハッピーになりましょう。店の奢りです」

加奈子の前にモンブラン、洋子にはサバランを置いていった。より濃厚な甘みがあるモンブランを加奈子に渡したのだ。

芦沢はすぐに階下に戻っていった。さりげなく客を気遣い、さりとて深入りしない、まさに老舗喫茶店の店主の見本のような人物である。

加奈子はモンブランを一口、口に入れるとぱっと明るい顔になった。

「甘ーい」

「人生すべて甘いといいよね」

洋子もサバランを食べる。生クリームとブランデーの染みたスポンジのバランスが最高だった。

「飛鳥夏海を、六本木の会員制バーに連れていっちゃったんです」

誰でも知っている有名タレントだ。

人気アイドルグループで長年トップクラスの人気を保ち、三年前にグループを卒業、ソロ活動に入ってからは主に役者として活躍している。

グループから独立し役者に専念するために、加奈子のいるアップルパイ・エージェンシーに移籍したとされている。二十八歳のはずだ。

「飲ませた相手は？」

「厚労省の審議官と人材派遣会社の女性部長さんです。女性部長さんなので安心していましたが、その人も実はホスクラで借金を背負っている人でした」

「でも、そんな社会的に地位のある方たちなら、芸能人として同席しても問題ないんじゃない？」

サバランが美味しい。けれども、ほんの少し前にショートケーキを食べたばかりなので、これは完全にカロリーの摂り過ぎだ。

「三十分ぐらい飲んでいたところで、雪彦がすぐ近くのテーブルにいた人たちを紹介したんです。あっ、雪彦はカウンターで、待機していたんですけどね。ほんとさりげなくやってきて、私に会釈したんです。だから、飛鳥も業界の人だと思ったんでしょうね……」

加奈子はそこでまた声を詰まらせたが、コーヒーを一口飲むと、続けた。

「立派なスーツを着たきちんとしていた人たちでしたが、ヤクザでした。華岡組というそうです。もちろん表面的には不動産会社や金融会社の名刺を差し出されました。だから、皆と一緒に写真を撮ったんです。審議官も人材派遣会社の女性部長さんも一緒でした」

「ヤクザとわかったのはどうして？」

一番街通りを行き交う人たちを眺めながら聞く。

「これです。昨日、私のマンション宛に送られてきました」

と加奈子は脇に置いてあった大きなバッグを開けると、一冊週刊誌を取り出し、洋子に寄こした。

『週刊大砲』。極道の動向を知らせる貴重な実話週刊誌で、警視庁の組織犯罪対策部も常に目を通している一冊だ。

「これに載せられちゃったの？」

「はい、グラビアを見てください」

加奈子に促されページをめくると『極道ウォッチ』と題されたグラビアページに一枚の写真が載っていた。

『アイドル女優は極道好き』

華岡組筆頭若頭、大道寺豪造、副理事、神原次郎とキャプションが付けられた写真の中央に写る女性はモザイクで覆われている。他に男と女のふたりもモザイクだ。

「もっと何人も連れてこないと、いつでもモザイクなしの写真を掲載するぞって」

加奈子は唇を震わせた。

典型的な極道のやり方だ。一発でけりは付けない。じわじわと地獄の釜に足を引っ張っていくのだ。

加奈子に対しては、所属タレントの醜聞で潰すぞと脅し、他のふたりの堅気にも、何かをしなければこの写真を流すと、圧をかけているのだ。

厚労省の役人と人材派遣会社の部長。

この組み合わせから考えられるのは、外国人労働者の規制緩和と、それが実現した暁には人材派遣会社から闇のマージンを取ろうという魂胆であろう。人材派遣のルーツである口入れ屋は古くは極道の稼業のひとつであったのだから、彼らはその辺の目端が利く。

「わかった。あたしが何とかしてあげる」

洋子はスマホを取り出した。

まず分室にいる小栗に作業を頼む。簡単なコラージュの発注だ。続いて松重にセックス依存症の女性を満足させる相手を頼む。

サバランを食べ終えた。

さきに松重から返事があった。

五分後、洋子は一番街通りをじっと見た。

パナマ帽を被った男が店の前にやってきた。モデルと見まがう顔立ちだ。あいつか。

小栗からも返事があった。洋子はすぐに加奈子に伝えた。

「ネットにその写真、モザイクを取って流しちゃうよ」

「えっ、真木先輩、なんてことするんですか」

「大丈夫、ヤクザ以外の三人の顔を、別人に差し替える。ＡＩで生成させた顔をつかう。それを先にあちこちにアップさせちゃったらいいのよ」

「あっ、そうしたら本物が出回っても、それ偽物ですって言い張れるわけですね」

加奈子の顔に笑みが浮かんだ。

「そういうこと」

いうなり洋子は席を立った。加奈子が唖然とした顔をする。

「加奈子ちゃんの禁断症状を解消してくれる先生がいるの。逆に別な癖がつくかもしれないけど、無茶な金額はいわないはず」

「ど、どういうことですか」

「やればわかるって、私の知り合いが言っているから」

加奈子の手を引いて階段を降り、店の前にいるパナマ帽の男に引き渡した。

「よろしくお願いしますね」

「わかりました。松重の旦那にはいくつも借りがあるんで、しっかり務めさせてもらいます」

「えっ、なんですか。私、なにされるんですか」

加奈子は狼狽えていたが、眼は妖艶に輝いていた。

パナマ帽の男が加奈子の手を引いて、二丁目の方へと向かっていった。松重によると男は縄師兼棹師で、その筋の達人だそうだ。

ヤクザの仕切るイベントで、ＳＭショーをやってなんども公然わいせつ罪で逮捕されているが、いまは警察や公安調査庁の協力者だ。カルト教団でマインドコントロールに掛かった女たちを『エロ調教のし直し』で解放しているのだそうだ。

この際、加奈子はドＭ女にされた方がまだましだろう。

鞭や蠟燭でいたぶってくれるクラブならば、都内にいくらでもある。

そっちに嵌まれ。

芦沢に礼をいい、店を後にした。

暮れなずむ一番街通りを靖国通りの方へ向かって歩いていると、ミツルの後ろ姿が見えた。

連れの男がふたりいた。ホストの身なりとは違う感じの男たちだ。洋子はそれとなく近づいた。

ミツルの声が聞こえてくる。驚いたことに北京（ペキン）語だった。

「日本人の女は、気に入ったホストのためなら身体を売ってでも高額な支払いをしてくる。中国じゃ考えられないよな」

「中国女にその習慣を植え付けるのには三十年かかるぜ」

隣の男が言っている。洋子は北京語を解した。大学時代に英語の他にフランス語と中国語をマスターしていたのだ。気づかれないように少し下がった。

「それは張（チァン）さんも理解している。直近の目的は日本人富裕層にチャイナホストとして気に入られることだ。中国の富裕層は次の世代に任せるさ。工作員の中からとにかく美形な男を選び出してくれ、日本でのホスト教育は、うちの店の社長がやってくれる」

ミツルたちは北京語なのをよいことに、大声で話していた。

岡崎が言っていた中国の工作員はすでに歌舞伎町にはいりこんでいるということだ。万里観光のオーナーは張本と名乗っているが、本名は張ということだ。

「満もだいぶホストらしくなってきたな。客は捕まえたのかよ」

ミツルは満という名が本名ということだ。

「偶然だけど、富裕層らしいトレーダーに気に入られた。ホスクラというのは、女が男と遊びたくて来る場所だから、チャンスはいくらでもある。トレーダーに気に入られたといって、一緒に撮った写真を見せたら、張さんに凄く褒められた。この女を絶対に逃がすなと」

ミツルは得意になっていた。

そうとわかれば、こっちもミツルを振り回してやろうと思う。

「満の仕事が羨ましいよ。俺たちは、在日中国人の監視ばかりだ。地味だよ。それに別に人権派じゃなくても、この国でビジネスをやっていたら祖国の監視体制がいやになるのも無理ないとも思うしな」

連れの男がそう言った。どうやら中国の海外警察らしい。海外にいる中国人を監視し、人権運動をしている者などのパスポートの更新などを拒否し、強制的に帰国させる役目だ。

主権侵害として世界中で叩かれ始めている。

「滅多なことは言わないほうがいい。さぁ、ラオ姐さんのところで、抜いてもらおう」

ミツルたちは靖国通りの手前の古びたビルに入って行った。

中国エステの袖看板が出ていた。ここも中国の拠点ということだ。

4

「由美さん、俺に今度ラッソン歌わせてくれないかな。いや今夜じゃなくていいんですよ。ちょっと由美さんに力を貸して欲しくて」

いよいよ流星が牙を剝いてきたようだ。

「どういうこと？　私は芸能界の裏方、たかがスタイリスト。流星の太い客になれないのは知っているでしょう」

二階堂由美は言い返した。案外流星は早めに勝負に出てきたと思った。ひょっとしたら潜入捜査をしていることに感づかれたのかも知れない。

「いまのエースを潰したいんですよ。もうしつこくてうんざりなんだ」

流星が奥の方の席に顎をしゃくった。

数日前にバッティングセンター近くのパーキングで丸坊主にされた女とは違う。

黒髪をハーフアップに結わいた一重瞼(まぶた)の和風美人。清楚(せいそ)な顔立ちだ。服装もグレーのスカートスーツにナチュラルカラーのパンスト。

どちらかと言えば普通のＯＬ風だ。もっとも、そういう衣装で、というリクエストにこたえて仕事をしてきた風俗嬢かもしれない。

歌舞伎町ではよくも悪(あ)しくも、見た目と職業のギャップの大きな人々が多い。

ヤクザみたいな格好のパン屋の主(あるじ)。銀行員みたいな身なりのヤクザ。

朝九時から夕方五時までさくら通りのソープで働く嬢は、黒のパンツスーツにビジネスバッグを持って電車通勤している。

どうみてもＯＬだ。

逆にマイクロミニに乳首が浮き出たタンクトップをきたお姉さんが、郊外から遊びに来た保母さんだったりする。

この町では見た目と真逆の職業の人がやたらいるのだ。

「彼女の名前は？」

「白右麻衣。ああみえて救急隊員だ。ヤバい患者を見すぎて、メンタルをやられている。突然、壊れて暴れだすんだ。手に負えない。けれどもいまのところあの彼女が、俺のエースなんだよ。切り出し方が難しい。自然に悟らせるのが一番なのさ」

流星がぼやいた。

「救急隊員って公務員でしょう。風俗の仕事はしていないの？」

「麻衣はしていない」

「それでエースになれるってどういうこと？」

流星のエースになるには、月に五百万から一千万を支払わなければ無理なはずだ。

「家が資産家なんだよ。たぶん……」

流星が言葉を濁した。それと少し目が泳いだのが気になった。

「どっちにしろ私は課金じゃ張り合えないよ」

「一時的でいいんだ。二か月連続で俺の売り上げエースになってくれたら、麻衣は諦める」

「恨まれたくないよ。私、ここに最初に来た夜、若葉って女に殺されかけたのよ。修羅場に巻き込まれたくないよ」

若葉に刺されそうになった話はすでにしてあった。だが駐車場で彼女が凄惨なリンチを受けている様子を目撃したことは伏せていた。

あの夜以来、若葉は『千の旋風』では見かけなくなった。

「いや麻衣は若葉とは違う。勝てない相手が出てきたと知ったら、他店に移ると思う。むしろそのほうがいい。地雷は他の店にくれてやる」

「まるでババ抜きのジョーカー扱いね」

「そんなようなものさ」

「それにしても、私が、流星のエースになるとか、ラッソンを歌わせるとか、そんなのありえない。スタイリング料が入金になった夜に、五万円の予算で飲みに来るのがせいぜいの女だよ。あたしにとっては、それだけでも立派な自分へのご褒美。それ以上踏み込んだら、私、破綻しちゃうよ」

由美は真っ当な女を装った。洋子から授けられたシナリオ通りに演じている。

「俺には興味ないってこと？」

流星が大きなため息をついた。落胆の演技だ。

「ないわけないじゃん。ただ分を弁えているだけ。身体を売るつもりはないから」

ここで微笑んでみせる。こっちはこっちで固い女の演技で返す。

「そんなことしなくても、由美さんは俺のエースになれるよ」

真顔で言われた。

「五万ぽっちしか課金できない女がエース？　他の客に殺されちゃうわ」

「由美ちゃんの知り合いの芸能人を紹介してくれたらいいんだよ」

「えっ？」

やはりそうきたかと思いつつも、予定よりも早いと感じた。まだ自分は育ての段階ではないのか。

「店に連れてきてほしいとかじゃないよ。それに女性の芸能人じゃなくてもいい。おとこの芸能人でもいいんだよ」

「何がしたいわけ？」

あえて目を尖(とが)らせる。やすやすと乗るほうが不自然だ。

「ギャラ飲みのバイトしてくれないかなって……そしたら、由美ちゃんの払いなんてどうにでもなる。紹介してくれた芸能人がギャラ飲みに応じてくれたら、ドンピン二本とか、イベントに来てくれたらリシャールを一本バック出来る」

流星は小声でそう言い、狡猾(こうかつ)そうな笑いを浮かべた。

「イベントって？」

「俺の大学の後輩が仕掛ける。六本木とか西麻布(にしあざぶ)のクラブで大学生中心のでっかいイベントをやる。そのとき客として有名人がきてくれるだけでいい。もちろん由美ちゃんも一緒にね。適当に飲んで、紹介されたら手を振ってくれるぐらいでいい。せいぜい三十分。芸能人さんには五十万ぐらい、その場で現金で渡す。三十分、ちょっと顔出して、事務所を通さない裏ギャラ五十万。由美ちゃんはうちのリシャール。これ悪くないでしょう」

確かに悪くない話だ。だが、一度その味を覚え込まされた芸能人は、金を握らされた場面を写真に撮られる。あるいは女を抱かされる。女性タレントなら、飲まされて淫らな動画を撮られるかもしれないのだ。

この流星は、学生時代、イベントサークルを仕切り、さんざん輪姦をやっていた男だ。当時は趣味で、いまは金目当てでそれをやっているに違いない。

やり口が読めた。

「悪くないわね。まずは飲みにつれていける芸能人を探すわ。仕事終わりに一緒に飲みに行くとかでいいんでしょう？　でも歌舞伎町にくるかな。たいてい六本木か西麻布だよ」

話に乗ってやる。

「その辺でもいい。俺が指定する店ならね」

流星の目が光った。要は万里観光は芸能界と繋がりたいわけだ。そのとば口としてホストを使っているのだろう。裏が取れてきた。

一方で素人から金を集め、もう一方では芸能人を抜き差しならぬ所へと導いていく。一石二鳥だ。いやギャラ飲みやイベントに来た女性を『千の旋風』に誘い込めればさらに収益は上がる。

金を吸いあげるために幾重にも罠を仕掛けようということだ。

女をマインドコントロールするホスクラはありとあらゆる犯罪のゲートウェイの役目を果たすことが出来る場所でもある。

由美はそう確信した。

「さっそく探すとするわ」

親指を立ててみせる。

「じゃぁ、今夜は僕のおごりでドンピン一本」

流星は黒服にむかってさっと手をあげる。

「あらまだ保証は出来ないわよ」

「僕のためにやってくれるという気持ちだけでも感謝だよ。それにほら、あそこにいる麻衣に当てつけておかないと」

この辺の追い込み方はさすがだ。

ドンピンで乾杯し、それから三十分ほどで由美は『千の旋風』を後にした。花道通りで、流星とヘルプのホスト三人に盛大に見送られ、引き上げる。

五階の外階段から救急隊員だという女が、何やら喚いていた。嫉妬がピークに達しているようだ。

地獄の釜の中から叫び声をあげているようで、ちょっと怖い。

――私の仕事はここまでだ。

由美は胸底でそう呟き、万里ビルを何度も見返しては流星に手を振り、ゴジラロードへと向かった。

二度と客としてあの店に行くことはないだろう。

夜風は涼しくなり始めていたが、それでも夏の最後のあがきのような強烈な湿気がアスファルトからむわむわと舞い上がってきていた。

歌舞伎町交番からシネシティ広場へと曲がったところで、相棒(バディ)に電話を入れる。

「任務完了です。真木室長が読んでいた通りの展開でした。裏取りの録音もしました。ただ今夜は流星の客が暴れるかもしれません。ダイブの可能性もあります。監視お願いします」

「了解。屋上へは上がらせない」

相川将太が威勢よく答えた。

5

「もういやっ。流星、ぜんぜん私の席につかないじゃない。エースっていっても実際には払っていないんだから、いい加減に扱っているんでしょう。嘘つきっ。もう来ないからね」

麻衣という女が外階段の踊り場で、流星を前に泣きじゃくっていた。

筋肉質なボディを紺地にハイビスカスの花のアロハとホワイトジーンズに包んでいる。歌舞伎町のホスクラよりも、表参道あたりのオープンカフェの方が似合っていそうな女だ。

相川は五階と六階の間の踊り場から、その様子を眺めていた。上にあがってきたら止めなければならない。

「由美は、後ろにコレがついているめんどくさい客なんだよ」

と流星は頬に人差し指で斜めに線を引いた。

なるほど女ごとに出鱈目を言っているわけで、客同士の触れ合いを阻止しているわけだ。

「嘘よ。流星、もう私に飽きたんでしょっ。もういいっ。二度と来ないから」

麻衣は上ではなく下に向かおうとしている。

相川としては救われる思いだ。そう、このビルからは出ていった方がいい。

「麻衣に飽きてなんかいない。愛しているんだ」

ホストは平気でこれが言える。やつらにとっては連日連夜の舞台で言う決め台詞なのだ、と相川は思った。

流星が麻衣に後ろから抱きついた。アロハの上から胸を揉んでいる。

「いやっ」

「結婚しようよ」

「嘘っ」

「このまま区役所に行ってもいい」

戸籍謄本や証人が必要なことを流星は知っていて言っているはずだ。相川はこの外階段の踊り場で、真也や恭平といったトップクラスが何度もプロポーズをしている瞬間を目撃している。彼らにとってはこれも色恋営業の一環でしかない。

その場しのぎだ。

「マジ?」

麻衣は幻惑されてしまったようだ。振り返って抱きつく目が蕩けていた。

「マジだよ」

言いながら流星が麻衣のアロハのボタンをひとつずつ外していく。その指の動きは実に早い。

「いやんっ」

相川の位置からでも麻衣のブラジャーが見えてきた。真向いのビルのネオンに照らされているのは、光る素材の白いブラだ。そのカップが簡単に下げられる。ポロリと乳房が現れた。

乳首まではは っきり見えないが、流星にソフトに揉まれて麻衣は尻を振り出した。

「静かに……」

流星がキスをし麻衣の口を塞ぐ。左手で乳房を揉みながら、もう一方の手がホワイトジーンズのホックを外し、ファスナーも下げていく。麻衣の白いパンティが見えた。

「ぁあんっ。そこはだめよ」

息継ぎをしながら、麻衣が前を押さえようとしている。甘い性臭が相川の位置まで舞い上がってくる。

ちょっと勃った。

勃起している場合ではないのだが、下のふたりの様子があまりにも生々しすぎて、興奮してしまう。

「やっちゃおうよ」

流星の手がホワイトジーンズを引き下ろした。白のパンティがピンク色のネオンを受けて、妙に艶めかしい。

「だめよ」

パンティの中に手を突っ込まれた麻衣がくねくねと尻と振り、内腿を閉じたり開いたりし出した。

その手に乗るな、と叫びたい気持ちと早くパンティを脱がせちまえ、という野次馬根性が同時に相川の胸を襲った。

「やりたいよ。麻衣とはずっとずっとやっていたいよ。俺、麻衣の身体の虜なんだ」

流星が自分のパンツのファスナーを下ろした。傍目には歯の浮くような言葉だが、のぼせている女には神の声に聞こえたに違いない。

「結婚する。私、流星と結婚する。そう、結婚するんだよね」

麻衣が魔法にかかったように、熱っぽく答えた。

「花形麻衣だ。いい苗字だろう」

流星が麻衣を後ろ向きにさせる。いや、そいつの本名は鈴木義夫だ。花形流星は源氏名に過ぎない。まんまと悪魔の手に落ちる女を眺めながら、相川はしかし痛いほど勃起していた。

――しゃあない、出すか。

相川が警備員の制服のズボンからおもむろに己の男根を取り出した。恥ずかしいほどに、ぱんぱんになっている。

左右に顔を振り、誰もいないことを確認し、思い切り握りしめた。

――あぁ、気持ちいいっ。

その間に流星は、麻衣のパンティを下ろしていた。ホワイトジーンズとパンティは足首まで下がっているが、抜けてはいない。

麻衣は両脚をくっつけたまま、尻を差し出していた。手はしっかり踊り場を囲む鉄柵の縁を握っている。

「麻衣ちゃん……声は出さないでね」

流星が腰を送った。くちゅっと蜜塗(まみ)れであろう肉穴に、男根が嵌まり込む音がした。麻衣の甘い発情臭と流星の獣じみた臭いが同時に舞い上がってくる。

相川の肉はさらに硬直した。射精してしまいそうだ。

「あっ、あんっ、はうっ」

麻衣が手のひらで口を押さえて、必死に喘(あえ)ぎ声を抑えている。ずんちゅっ、ぬんちゃっ、ずんちゅっ、ぬんちゃっ。夜空に肉を擦り合う音が飛んでいく。

——うっ。

相川はちょろっと溢(こぼ)した。情けねぇ。

「麻衣、今週も救急車で出動したら、家の様子を教えろよな。特に老夫婦の一戸建て……な」

「わかっている。ちゃんと家の中の様子も覚えるようにする。お金のありそうな家だけでいいんでしょう。あぁんっ。この体勢、凄く感じちゃうっ」

足にパンティとジーンズが絡まっているせいで、太腿が大きく開かない。窮屈な方が感じるというものだ。というより、いまの会話は何だ。相川は発情したまま狼狽えた。

「なぁ、結婚祝いにタワーをやろうぜ。そのためには百五十万いるんだ。半グレの連中にいい情報を流してやらないと」

流星が抽送のピッチを上げながら言っていた。

相川にもようやく合点がいった。麻衣は救急で行った先の家の状況を、伝えていたのだ。近頃多い押し込み強盗の水先案内人になっているのだ。闇バイトで釣った連中に、メールだけで指示して殺人もいとわない強盗を仕掛けているのだ。

二階堂由美からの報告メールにもあったように、この店のホストがあらゆる犯罪のゲートウェイの役割を果たしている。

——こいつら、潰してやるっ。

相川は怒りに震えた。手の握力が増した。ジュっと出た。怒りに任せた射精だった。最低だ。

「あぁあああ。いくぅうう」

麻衣が口を押さえたまま、その場に崩れ落ちた。

地獄の釜が煮立っている。精子を撒(ま)くぐらいでは沈静化できなさそうだ。

第六章　新宿ラストソング

1

「ホスクラは飲食店、風俗店、どちらの観点から見ても、ビジネスの矩を越えていると思う。やはり幻惑商法あるいはカルト商法、そう断定してもいいと思う」

「室長にしては、いつになく熱いですね」

東京都庁の展望台。

歌舞伎町を見下ろしながら洋子は松重と話し合っていた。

「ええ、九年前に歌舞伎町の売春システムを浄化させようとしたときとは、だいぶ気持ちが違うのよ。あのときは東京オリンピックの招致に成功した直後で、歌舞伎町浄化作戦はたぶんに観光政策の要素があった。それと当時の売春は金銭的にも妥当で、被害者のいない犯罪だった」

売春防止法は管理売春を罰する法で、春を売った女性たちからの搾取を問題としたものだ。洋子はつづけた。

「けれども現在のホスクラは最初から犯罪に発展することを承知でおこなわれているってことよ。つまりホストたちの営業はすべて未必の故意に当たるってことよ」

快晴の空に向かっていう。

「まったくで」

「ホストに入れ込んでいる女性たちは、熱湯に慣れてもう出られないのよ。出たら凍え死ぬ、でもそのまま入っていても焼け死ぬわ」

「よい例えで」

「そこに目をつけた危険な国もある」

「はい……なんだかここから見える歌舞伎町が真っ赤に燃えてしまいそうですな」

松重が同意した。

「これ、もう法の裁きじゃないでしょう」

洋子は断言した。

「ですな。やるしかないでしょう。ビルから飛び下りた女たちの怨念。いっときの夢の時間を過ごしたために、生涯売春婦として暮らすしかなくなった女たちの恨みつらみ……その親御さんたちの苦しみもまた、レイプ魔にでもあったような気持ちでしょうな」

「その恨み、ぜんぶ晴らしてやるしかないでしょう。張、北条、特に流星は許せないわね。縛り首よっ」

洋子は目頭が熱くなっていた。クールでなんかいられない。いまも眼下の歌舞伎町では、昼営業に嵌まる主婦や女子大生たちで溢れかえっているのだ。

初めの一歩は、ふとしたきっかけだったに違いない。昼間のセット料金だけなら主婦の小遣いでも女子大生のバイト代だけでも充分遊べる。

そして楽しい。初回割引だけで何軒も廻るのも楽しいだろう。

だが彼らは、いつでも地獄の釜の蓋を開けて待っている。恋に落ちた瞬間が、売春婦へと奔るスタートラインだ。

出会い系？　パパ活？　いくらオブラートで包んだ表現をしても、それは売春婦ということだ。

立ちんぼとなれば命を危険にすら晒すことになる。

叩き壊さねばならない。

一軒、一棟潰したところでどうなることではないのかも知れない。だが真木機関として万里観光だけは壊滅させなければならない。

先々のことは政治家や官僚の法案に委ねるしかないが、真木機関は死んだ新人女優の仇をきっちりとってやる。

中国国家安全部の男女逆転ハニートラップ工作も阻止してやる。

「警視庁の許可は」

「求めなくていいでしょう。真木機関なんだから闇処理よ」

「官邸には？」

「予定外の事故が起こったと……総理ならわかるわ」

「そういう方針なら、自分も腹を括っていきます」

「相川君と二階堂さんは巻き込まないで。出来れば松っさんとふたりだけで、カタをつけたいんだけど」

「そうしましょう」

「なら、今夜にでも」

2

午後十時四十分過ぎ、金子銀次はゴジラロードで手下たちに大声で命じた。

「スカウトをかたっぱしらからやっちまえ」

「おうっ」

半グレ集団ミゼルの精鋭部隊が、華岡組系のスカウトグループ、サッズのメンバーに金属バットで襲いかかる。

「なんだ、なんだよ。狩られる覚えはねぇぞ」

約十人のスカウトたちはゴジラビルの方へと一斉に駆け出した。

銀次はパイナップル頭の小泉の背後から、金属バットを振り下ろした。ヒットした。

「な、なにすんだよ。そっちの息のかかった奴の引き抜きはしてねぇぜ」

いきなり金属バットで肩甲骨を折られたサッズの小泉が、ジャックナイフを抜いてきた。だがよろけている。左肩が陥没してしまったせいだ。ネオンの光がナイフの刃に揺曳(ようえい)した。

「おまえんとこの羽生雪彦っていうのは、いまどここにいる。あぁ？」

ミゼルの金子銀次が、ナイフを握っていた小泉の手に容赦なく金属バットを叩きおとした。

「ぎゃっ」

手首が折れ曲がった。曲がったまま元に戻らない。

「銀次、協定違反じゃねぇか。華岡組とミゼルは共存共栄だと」

小泉は手首を押さえながら、唇を震わせた。

「うるせぇよ。おまえらのホスト、芸能人にも手を伸ばしてんだろ。俺らはそっちのアテンダーなんだ。もう共存は出来ねぇ」

銀次は小泉の顔をめがけて、金属バットをフルスイングした。ぶんっ、と風を切る音がした。

言いがかりなのはわかっている。だが縄張りを広げる格好のチャンスを見逃す手はない。なんてったって、この喧嘩、ミゼルには警察が付いているのだ。

小泉がのけぞり尻もちをついた。バットの尖端が鼻先を掠めていた。

「やめろよ、銀次。そっちは男の芸能人だろうがよ。サッズとしては男の芸能人には手出ししていねぇ。なんなら、お姉ちゃんを用立ててもいい。ホスクラに嵌まっているセクシー女優とかいくらでも手配できる。な、俺を潰すなよ」

小泉は恐怖に涙していた。すでに肩と手首の骨が折れている。反撃しても分がないことを知っているのだ。

「つるせぇよ。おまえらが、芸能プロのマネージャーに手をつけたの知らねぇとでも思ってんのか」

銀次はもう一度フルスイングした。膝頭を狙う。

「ぐぎゃっ、あぁあああああああっ」

皿を割ってやった。

「それへアサロンに来た女だろ。飛び降り自殺した女優のことを、嗅ぎまわっていたから、雪彦が気をきかせて、コマシたんだよ。嘘じゃねぇ。俺らが指示したことじゃない」

小泉はアスファルトに尻を付けたまま、顔を横に振って否定してきた。

「訳なんて、どうでもいいんだよ。てめぇらが、そのセラピストからショバ代を取っている以上、責任はあんだよ」

銀次は小泉の腹に蹴りを入れた。小泉がゲロを撒いた。

「……勘弁してくれよ。雪彦ならサロンにいるはずだ。ホスクラに行く女に、髪のセットと一緒に乳首イキやクリイキのサービスをしているはずだ。推しに会う前に整えるんだよ」

いずれも身体を売っている女であろう。

客にさんざん弄ばれた身体で、推しに会いには行きたくないんだろう。セラピストの指で一度浄化させてから行く。そういうことだろう。

銀次はTシャツの襟にピン止めしたインカムマイクに向かって叫んだ。

「雪彦はサロンにいる。花道通りの『美・サイレント』だ。こっちは蹴散らし中だ。ここから先は旦那たちの仕事だ」

叫び終わると同時に、小泉の顔に回し蹴りを見舞った。鼻から鮮血が飛び散った。スイカが割れて、飛び散らかったような有様だ。

ミゼルはサッズを圧倒していた。喧嘩は人数が物を言う。ひとりのスカウトをふたりのミゼルがタコ殴りしている。

ゴジラロードに血まみれになったスカウトたちが次々に倒れていき、通行人が悲鳴を上げていた。

「ここはもういいっ。周藤を狩るぞ」

銀次は走った。トー横を抜けて、花道通りを二丁目に渡る。金属バットを持った二十人もの半グレが走っているのに、歌舞伎町交番の制服警官たちは、ただ眺めているだけだ。

若い男女の警官が、仲良く並んでサンドイッチを食っていた。イチャイチャしている。銀次は、てめえら出来てるだろうっ、と胸底で叫び、ラブホ街へと突っ込んでいく。

バッティングセンターの方から周藤と華岡組の若衆たちが走ってきた。

「銀次っ、スカウト狩りとはどういうこったっ」

青龍刀(せいりゅうとう)を手にした周藤が、地を蹴った。道端に駐車していたセダンのルーフに飛び乗る。

本名、周港三(シュウコンサン)。日本生れのチャイナマフィアだ。グリースで固めたオールバックの髪が乱れた。

「もうおまえらの好きにはさせねぇ、出てけよっ」

「頭、かち割られるのはてめぇだ」

青龍刀を抜いた周藤が、空の星を背に飛び掛かってきた。刃先が青光りしている。

「おめえの金玉が割れるのが先だっ」

銀次は金属バットをアッパースイングした。盛大に振り上げた。飛び下りてくる周の股間に当たる。

「ぎゃぁあああああああっ」

周は白目を剝き、道路の上を転げまわった。

「てめぇに売られた女の恨みだっ」

睾丸をさらに何度も蹴りあげる。周はゲロをまき散らしながら、気絶した。閑静なラブホ街でミゼルと華岡組の乱闘になっていた。

「ガキがヤクザをなめやがってっ」

華岡組の若頭がドスを抜いて襲い掛かってくる。

銀次は頃合いと見た。

「もとは新闘会のショバだぜ。けえしてもらう」

尻ポケットから拳銃を抜いた。ベレッタだ。夜空に向けて発射する。オレンジ色の銃口炎があがり、乾いた銃声が響いた。

「ばかっ、こんなとこでチャカを振り回す奴があるかっ」

ヤクザが蒼ざめた。

銀次は二発、三発と連続して撃った。

「おいっ、気でも狂ったか。サツがくんぞ」

華岡組の若頭は手下たちに手を振って退避を促した。

「遅せえよ」

突如、四方からサイレンの音が聞こえてくる。逃げ場のないように、四筋すべてからパトカーが迫ってくるはずだ。

銀次は自分の太腿に銃口を向けた。歯を食いしばり、トリガーを引く。ばんっ。銃弾が太腿に入り込む。

「くわっ」

目を見開き、若頭に突進する。

「おいっ、なんの真似だ」

無理やり相手の手に拳銃を握らせた。パトカーのライトに若頭の顔が照らされる。

「俺の拳銃じゃねぇ」

若頭はそう叫んだが、刑事が二十人ほど一斉に駆け出してきた。

ミゼルの他のメンバーたちは華岡組の若衆たちの足に向けてバットを投げて、転倒させていた。

「動くなっ、どっちも動くなっ」

刑事が全員拳銃を抜いていた。

銀次は両手を挙げた。笑みがこぼれそうなのを懸命に堪えた。

いま頃、仲間が華岡組の事務所に覚醒剤や拳銃を投げ込んでいる。そこにマルボウが踏み込む手はずだ。

ヤクザと半グレの喧嘩は両成敗だが、今夜に限っては華岡組の方が分が悪い。解散に追い込まれるだろう。

察侠連合も悪くない。高倉の兄貴の遺志を引き継いでいくことにする。ひとりの私服刑事らしい男が近づいてきた。松重ではない。もっと若い。手錠を掛けに来た。

「銀次だね。おつかれ。俺は相川っていう。取り調べを担当するが、まぁ治療をしながら、のんびり行こうじゃないか。警察病院の特別個室だ。税金で治療してやる」

そう言って救急車の手配をしてくれた。

「松重の旦那が国のためだっていうから太腿に銃弾をぶち込んだのだぜ。当然、国が手当てしてくれなきゃなぁ」

銀次は相川の脇腹を小突いた。

一週間ぐらいは警察病院で休暇となりそうだ。

3

エレベーターホールは静寂に包まれていた。

洋子はゆっくりへアサロン『美・サイレント』の入り口の方へと向かう。黒のTシャツに同じく黒のレザーパンツ。リュックも背負っていた。黒髪のロングヘアも、今夜はポニーテールだ。

リュックには戦闘用具と共に三百五十ミリリットルのペットボトルを五本入れてある。洋子なりの爆弾だった。

松重が銀次という協力者から雪彦の居場所としてここを聞き出してくれたのだが、驚いたことにこのビルは、真木機関歌舞伎町分室の真向いにあるビルだった。

『美・サイレント』の前に進む。

表向きの営業時間はとうに過ぎているので、サロンの扉の前にはシャッターが下りていた。

洋子はリュックを降ろし、聴診器のようなコンクリートマイクを取り出した。まずは中の様子を探る。シャッターにマイクを付ける。

『あっ、おっぱいでイク。んんっ。雪彦のおちんぽ、生で触りたい』

　女の甘えた声が聞こえた。

『追加料金、二万円です。触るだけですよ』

『挿入したら？　あひゃっ、もっとぎゅっと、潰して、はぁんっ』

『美由紀（みゆき）ちゃんは、イクの早いから十万円』

『人によって違うの？』

『俺がやりたくない相手ほど高くなる。下品すぎる熟女とか。それとこっちも出して欲しい場合は、三十万。ほら、射精しちゃうと時間空けないと回復しないから。美由紀ちゃんたちみたいに、一日五本とか無理だから』

『とりあえず、手筒させてくれるだけでいいっ。気分がどうしても乗ってきたら、挿入コースお願い』

『じゃぁちんぽ出しますね』

　スケベの量り売りか？

　とはいえ洋子にとってはおあつらえ向きの場面となってきた。雪彦が陰茎を出してくれるのはありがたい。

　ファスナーを降ろす音がする。出したら突っ込むか。洋子は出刃包丁も取り出した。気分は昭和十一年の阿部定だ。

「あっ、もう大きくなっている。硬いっ。すっごい硬いっ。鏡に映っている亀頭、鬼みたいっ」

美由紀という女がはしゃいだ声をあげている。ヘアサロン専用のリクライニングシートに座って、背後からバストトップを刺激してもらっているようだ。

その脇でファスナーを開いた奥から、にょっきり肉槍を出しているということか。

どのぐらい大きくて、どのぐらい硬いんだろう。

洋子はシャッターの下に手を差し込みながら、妄想した。

とんでもなく硬いとヤバくないか？

シャッターのロックポイントを探すと、締まってはいなかった。持ち上げたらすぐに上がる状態だ。上げようと思った。

『やっぱり、タマタマも触りたいんだけど。ズボンごと下ろしたらいくら？』

『タマ触りははプラス二万円』

『払うよ』

女がハンドバッグを開ける音がした。雪彦もベルトをはずしているようだ。

『うわっ、タマデカッ』

と美由紀の声。どんな睾丸だよ。

「あっ、あんっ、いいっ。乳首摘まれながらサオやタマを弄るって最高だね」

深い。美由紀という女、深い。洋子にそんな癖はない。

というか、天誅を下すタイミングはいまだった。

一気にシャッターを持ち上げた。ガラガラと派手な音を立てて、シャッターは天井に吸い込まれていった。

全面アクリルの窓と扉で、サロン内の様子がはっきり見えた。

左右に並ぶリクライニングシート。その窓側の中央あたりのシートの脇に、ブルーのポロシャツに下半身になにもつけていない羽生雪彦がぽつんと立っていた。脱いだズボンとトランクスは床に放り投げられたままだ。

勃起はリクライニングシートに隠れて見えなかった。シートはほぼフルフラットに倒れている。

美由紀は前開きのワンピースのボタンを臍のあたりまで開き、ブラジャーを首の方へずり上げていた。

おわん型の乳房だが、仰向けにされているので、かなり平らになっていた。洋子が眼を見張ったのは、その乳首の大きさだ。

キャラメルポップコーン。そんな感じなのだ。乳房の盛り上がりに比して、乳首が異常に大きい。

そこばかり弄られている証拠だ。

いきなり黒ずくめのリュックを背負い、出刃包丁を持った女が現れたのだが、ふたりはきょとんとしていた。

雪彦の目は、漫画で見る子犬のような目だ。ポチ、びっくり。そんな表情。美由紀は乳首を一段と硬直させている。

「美由紀の担当被りかよ。めんどくせぇ」

「知らないわよ、あんな女。羽生君のファンじゃないの？　やだよ、巻き込まれるの」

美由紀が上半身を起こす。乳は露わにしたままだ。中途半端に乱れている様子が、とてつもなくエロいが、女の方には用がない。

「羽生雪彦っ、女をたぶらかし、売り飛ばすのに一役買っている罪は重いわっ。覚悟して」

洋子は雪彦の前に躍り出た。陰茎が見える。大きい。和太鼓のバチか擦りこぎ棒のようだ。色は胴体が焦げ茶色で尖端は濃紫だ。皺玉は薄茶。これも大きい。

「何しやがる。その髪、ぶった切ってやるぜ」

雪彦が商売道具の鋏を持って飛び出してきた。男根を突き立てたままだ。

「よくも後輩の加奈子を狂わせたわねっ」

洋子は一度身体を捻り、返すと同時に右脚をあげた。黒のスニーカーが雪彦の手首を払う。スニーカーの尖端には鉄板が入っている。一撃で手首の骨は折れたはずだ。

「うぅわっ」

鋏が手から離れ、クルクルと回転しながら、隣のソファへと飛んでいく。雪彦は懸命に手を振っていた。

「骨はいずれ回復するわよ。スタイリストには戻れるわ。けど、もう女風セラピストには戻さない」

えいっ、と気合を入れて、出刃包丁を振り下ろした。

肉茎が根元から、スパッと切れた。

サラミソセージが一本、宙に舞った。そんな感じだ。

男根が消えた根元から、鮮血が飛び散り、金玉だけがぶらぶらしていた。

雪彦は呆気にとられていた。何が起こったのか瞬時には判断が付かないようだ。

「木とか草と違って、また生えてくるってことはないからね」

洋子がさらにその無防備になっている金玉を蹴り上げた。玉を内臓に押し込む勢いで蹴り上げた。

「うわぁあああああああああぁ」

「女の怨念、一生背負って生きていくことね」

洋子は雪彦の股間を指さした。そこで初めて己の股間を見た雪彦が恐怖に顔をひきつらせた。

「おぉおおおおっ、俺のちんぽっ、俺のちんぽはどこだっ」

狂ったように床に這いつくばり、己の肉茎の行くえを探していた。

リクライニングシートに座っていた美由紀は、凄惨さにショックを受けたようで、乳を出したまま、絶句していた。

「あなたの楽しみを奪ったことは謝るわ。でも、あなたも、そろそろ先のことを考えたほうがいい。綿菓子みたいなふわふわした楽しみは、永遠には続かないものだから」

洋子はそう言って踵を返した。

ヘアサロンを出るとき、あらためてシャッターを下ろした。

腕時計を見ると午後十一時三十分過ぎだった。

エレベーターで階下に降り、ビルを出た。花道通りは相変わずごった返していたが、そろそろホスクラも引けどきのはずだった。

界隈のあちこちのビルの前でホストが手を振って客を送っている。

ラストソングまで待つか。

洋子は斜め前方のビルの屋上を眺めた。

新人女優の石橋茉優はあそこから飛んだのだ。みずから体当たりしてまで復讐したかったはずの流星は、いまも、その真向かいの万里ビルの五階で、女を口説いている。

仇を取ってあげるからね。

今度は万里ビルを見上げた。屋上にはすでに松重豊幸がいるはずである。

洋子は区役所通りのボーイズバーで時間を潰した。

『千の旋風』でときおり見かける女がカウンターに座っていた。社長の北条真琴の客。高級風俗嬢とミツルから聞き出している。

さりげなく写メで横顔を撮影し、分室で待機している小栗に送り、人定を依頼する。あの女を最初に店で見かけたときから、洋子はどこか違う場所で会ったことがあるような気がしてならなかったからだ。

　そして自分たちとどこか似た空気感を持っている。

「あの、担当被りじゃないから、一緒してもいいかな」

　洋子は女に声をかけた。

「あぁ、『千の旋風』のミツル君のお客さん。いいですよ。私は三波。渡辺三波。あなたは？」

　三波は隣の丸椅子を指さしながら見上げてきた。

「洋子です。真木洋子。お店ではちゃんと顔を合わせたことないものね」

「まぁ、客同士が仲良くなられては困る業態なんでしょうしね」

　ホスクラとキャバクラの違いはそんなところにもある。客に応じて嘘をついているから、答え合わせをされたくないのだ。

　トイレに立つときでもひとりで勝手に歩くことを禁じている。それがホスクラだ。そんなシステムもカルト教団と似ているわけだ。

「でも三波さんは、真琴社長の本カノなんでしょう」

　ミツルからそう聞いていた。

「まぁ、そんなとこ。でもホストの女っていうのは、一緒に暮らしていても店に通わなきゃならないし、エースで居続けないといけない」

三波は笑ってビールを飲んでいた。ホストの本カノというのは、売り上げが一番の座でもあるということだ。

「社長のエースであり続けるって大変ね。その点、私はペーペーのミツルが担当だから楽だわ」

そのミツルがチャイナのスパイだとは客は誰も知らないだろう。

「まあね。ライバルの売り上げを常に聞かないとならないし」

尻ポケットでスマホが震えた。小栗からだった。三波にわからないように、ラインをタップする。

三波の正体を知らせる内容だった。洋子は思わず吹き出しそうになった。似た空気感を放っているわけだ。

「売り上げね……把握しないとね」

洋子は三波の顔をまじまじとみた。寝てまで捜査するとは見上げた根性だ。

「ひょっとして見破った？」

三波の眼が微(かす)かに尖(とが)った。

「マの付く仕事」

「そうマンコ商売よ。ちょっと出ようか」

三波がカウンターを蹴るようにして立ち上がった。

区役所通りを靖国通りに向かって歩いた。内緒話は歩きながらが案外いい。

「社長の家で裏帳簿はみつけたの？」

ズバリ聞いてやる。渡辺三波は、国税庁の査察官。通称マルサの女だ。

「そっちはマトリですか？　私もちょっとあなたが気になっていたんですよ」

三波が聞いてきた。

ひょっとしたら霞(かすみ)が関(せき)のどこかで顔を合わせたことがあるのかも知れない。

「まぁ、そんなところ。かなりヤバい店だということは分かったわよ」

自分から口を割るつもりはない。真木機関は霞が関でも特殊部門だ。その詳細は他省庁には知られていない。

三波が勝手に洋子を厚労省の麻薬取締官(マトリ)だと勘違いしているのなら、それに乗ろうと思う。

「もう踏み込みは時間の問題って感じですか。いや密告(タレ)込みませんよ。こっちとしては、仕事じまいするだけです」

区役所通りにはタクシーが群れを成していた。大通りの方からも人の群れがやってくる。ちょうど終電で帰る一般人の客と、真夜中の歌舞伎町に集まる玄人客が入れ替わる時間だった。

「追徴金はいくらかけるつもり？」

それで店を潰すことが出来るかも知れないと思った。

「万里観光の帳簿はキレイなものですよ。さすが大きな金を動かしているだけあって、きっちり対策しています。大手の会計監査法人をやとっているだけはあります」

「狙いは違うところにあるってことね？」

「はい、いま調査しているのは、客の方です」

「あら？　女実業家の脱税とか？」

「そうじゃないですよ。月に三百万も使う客、それだけ収入があるってことですよね。年収三千六百万以上ですよね。相応の所得税と住民税を払ってもらわないと」

三波は意外なことを口にした。

「そっち？　彼女たちの収入ってほとんど売春でしょう」

現金での出し入れだ。裏付けは不可能だろう。

「仕事の内容はなんでもいいんです。私たちは非合法でお金を手に入れた人でも犯罪自体は問題にしません。警察にも通告しません。正しい税金を払ってくれたらそれでいいんです。麻薬取引だろうが、特殊詐欺だろうが、収入があってその税金が払われていなければ取り立てに行きます。差し押さえも掛けます」

三波は淡々と言った

「特殊詐欺で老人から奪った金でも、多くの人を廃人にする覚醒剤の密売で得た金でも、税金だけとればいいと？」

同じ捜査官として違和感を持った。

「犯罪人として逮捕するのは、警察の仕事です。逆に私たちは税金を払わずに刑務所に入ったままの人にも追徴金は掛けます。時効期間以外の分は出所後に取り立てに行きます。相手がヤクザでもです」

ある意味凄(すご)いと思った。

「北条と一緒に暮らすことで、他の客の支払額を聞き出していたということね」

「そういうことになります。もう巨額の金をつぎ込んでいる女の所在は押さえましたから、店はどうでもいいんです。手入れするならやってください。ただし私はその前に真琴のマンションから客のデータをもって逃げますが」

靖国通りに出た。

「今夜、彼がマンションに戻る前に、消えたほうがいいわ。私がいえるのはそれだけ」

「助かりました。いまからそうします」

三波はタクシーに手を挙げた。

「ホス狂いしちゃっている女たちを唯一踏みとどまらせる方法って、それかもしれない。ホスクラも焦るわ」

「ご理解ありがとうございます。近々、目星をつけた客の自宅に踏み込みます。私もあの世界は異常だと思います。でも税金を払うためならパパ活でもしてもらいますよ」

「でも、それはゴールが見えているパパ活ね。無間(むげん)地獄に落ちているよりはましよ」

「本当にご理解ありがとうございます。洋子さんの仕事も成功することを祈ります。お気をつけて」

三波はタクシーの中へと消えた。

なかなか清々(すがすが)しいマルサの女であった。

さてと、それならこっちも店を潰しに行くか。洋子は区役所通りを引き返した。

4

午前一時。

洋子は万里ビルを見上げた。

いよいよ真木洋子のラストショーの始まりだ。この命と引き換えてでも張と流星は抹殺しなければならない。

二時間ほど前までは星が舞っていた空だが、いまは墨を刷(は)いたように暗黒に染まっている。

気分は上々だ。

ゴジラロードで派手なスカウト狩りがあった直後だ。警察もぴりぴりしていると感じているはずのホスクラ各店は、今夜に限っては営業時間を厳守することだろう。

それを示すように花道通りの区役所通り寄りのホスクラビル街は、いつもより静まりかえっていた。

松重が屋上から忍び込み、張を屠(ほふ)る。洋子の狙いは流星ひとりだ。石橋茉優をはじめ多くの女を狂わせ、地獄に落とした男だ。

マネージャーの黒崎加奈子もまた流星に端を発した被害者だ。

男根を斬るぐらいではすませない。泣いて喚（わめ）いて、地獄に落ちる姿を見なければ、これまで泣いた女たちの恨みは晴らせない。

他のホストたちもおしなべて同じだが、流星に関してはホストになる以前から、鬼畜の所業と言える強姦（ごうかん）を繰り返している。

許さないっ。

洋子は、インカムを付け直し、エレベーターに乗り込んだ。

五階に到着する。

『千の旋風』の扉に耳を付けると、流星の歌声が聞こえてきた。

ラストソングのようだ。

河村隆一（かわむらりゅういち）の『Ｌｏｖｅ ｉｓ…』。この歌声で客を最後の最後まで蕩（とろ）けさせるのだ。ラストソングはその日の売り上げがナンバーワンだったホストが歌えることになっている。そのためにも客たちは頑張るのである。

しかしいまラストソングか？ 一時間遅くないか。他の階の店はすでに閉めている。洋子は扉の前で首を傾（かし）げざるを得なかった。

曲が終わっても拍手の音が聞こえない。

すでに営業もミーティングも終わっているということか。

流星がひとりでカラオケの練習をしているということもあり得た。インカムのマイクに囁く。

「松っさん。六階はどうなっている?」

「張は五階の店に顔を出しに行ったままだ。オフィスには戻っていない」

「だったら松っさん、五階の窓から飛び込んできて。きっとホストと打ち合わせをしているんだと思う」

「OK分かった。まとめて燃やしてしまうのも手だ」

「そうね」

洋子はインカムを切った。もとより火災を起こすつもりでいる。松重はすでにビルの火災報知機もスプリンクラーの電源も切ってある。

そのうえで、洋子が五階、松重が六階に灯油をばら撒き火を放つつもりでいた。火炙りの刑だ。

それをまとめて五階でやることにする。リュックからペットボトルを二本取り出した。キャップを外し、レザーパンツのポケットにオイルライターが入っていることを確認する。

扉を開けた。

エントランスに人はいない。ホールの奥、マイクを持って立っている流星の姿が見えた。ソファに張と北条真琴が座っている。

「あっ、洋子姫っ、今夜はもう終わりですよ」

流星がわざわざマイクで伝えてきた。

「あんたが今夜で終わりなのよっ」

洋子はペットボトルをホールに向けて投げつけながら、走り寄った。

「姫っ、担当はぼくじゃないですかっ」

いきなり背後からタックルされた。ミツルだ。

「うっ」

前のめりにフロアに倒れた。膝をしたたかに打ち、腹ばいになった。立ち上がろうと床に両手を突くが、ミツルにTシャツをめくられた。ブラジャーを丸見えにさせられる。インカムのイヤホンもマイクもむしり取られた。

「なにするのよっ」

「そっちこそ何しようとしてんですか。困りますよ、刑事さん」

刑事？　ばれているのか。三波が伝えたのか？　脳が混乱した。

ミツルが一度ジャンプして、膝頭を尾骶骨に打ち付けてきた。

「あうっ」

腰に激痛が走る。洋子はのたうち回った。

「気が付いていましたよ。元新宿七分署、性活安全課の真木洋子課長でしょ」

ソファに座っていた張がゆっくり立ち上がった。手に鞭を持っている。六条鞭だ。

そいつでビシッと床を叩いた。

洋子は顔を顰めた。

「九年前、俺はピンサロ三軒、セクキャバ二軒も潰されたんだよ。あんたが歌舞伎町浄化作戦とかやってくれたおかげでね。『本番は絶対にさせませんっ』て、記者会見で豪語してたもんな。はっきり覚えているよ」

張が言う。因果応報とはこのことだ。

「うちのお客さんにもいたんですよ。本番もやるピンサロにいた嬢だったのに、あなたのおかげで稼げなくなったと。恨んでいましたよ」

真琴が言う。そういうことだったか。

「で、待っていたんですよ。あれだけ派手なスカウト狩りをやったのは、今夜、うちらを潰す気だろうってね」

流星が笑う。

迂闊(うかつ)だった。ということは松重の動きもすでに把握されているということだ。

「ミツル、脱がせろ」

流星が叫んだ。

逃げたくとも腰を痛打され、立ち上がれない。

上半身だけで暴れたが、あっという間にTシャツを脱がされた。ブラジャーのホックも弾(はじ)かれ、カップがはらりと落ちる。もっとも軽蔑する男たちに生乳を見せることになった。

それだけですまされるはずがない。ミツルの指がレザーパンツの縁にかかってきた。

「痛いっ」

膝を打ち込まれた尾骶骨に再び激痛が走り、動きようがない。レザーパンツとブルーシルクのショーツが一緒に剝がされた。

尻が剝き出しになる。

「この腐れ牝刑事(めすデカ)がっ」

張が鞭を振るってきた。

「あぁあああっ」

尻山に六条の革鞭が食い込んだ。

「室長っ」

窓ガラスが割られ、松重が飛び込んできた。手にペットボトルを持っていた。だが、すでに真琴も流星も読んでいた。

「爺刑事（じじいデカ）なんざ、怖くねぇよ」

流星がバカラデキャンタでいきなり松重の額を打った。

「ぐぇっ」

頭頂部を割られた松重が、頭を何度か振っている。脳震盪（のうしんとう）を起こしているのは間違いない。

「松っさんっ」

洋子は叫んだが、その背中に再び鞭が降ってくる。

「あうっ、くぅ」

「死ねやっ、牝刑事っ。中国を舐（な）めるなよ。ほら、もっと尻を振れっ」

サディストの本性を剝き出しにした張が乱れ打ちにしてくる。

洋子は喚きながら床を転がった。

松重は、何度も頭を振っていた。正気に戻らないようだ。

「おまえが先に死ねっ。俺には明るい未来がまってんだ。潰されてたまるか」

北条真琴がワインボトルで松重の顔面を殴った。

「うぉおおおおっ」

顔面に割れたガラスが突き刺さり、血まみれになった松重が立ち上がった。ふらつきながらもローテーブルの上にあったアイスペールからトングを抜き、真琴に襲いかかった。

「うわっ。あっ、なんだよ、俺のツラを」

真琴の頰がざっくり切れていた。

「色男が台無しだな、へっ、怖くねぇだと。てめえらこそ刑事を舐めんなよ」

松重は頭から血を流しながらも、真琴に頭から突進した。

「ホストの顔を壊して生きて帰れると思うなよっ」

真琴も狂乱していた。突進してくる松重の顔を膝で蹴り上げた。

「ぐっ」

松重の顔がぐしゃぐしゃになった。そのままのけ反る松重の顔を流星が再びバカラのデキャンタで横殴りにした。耳の周辺に当たる。頭蓋がずれる致命的なポイントだった。

松重の顔から一瞬にして表情がなくなった。

「松っさん、死なないでっ」

洋子は絶叫したが、松重はどすんと横転した。二、三度痙攣(けいれん)し、その後はピクリとも動かなくなった。

「いやぁあああああああああ」

松重の身体に這い寄ろうとしたとき、尻を持ち上げられた。猫が発情したようなポーズをとらされる。

張の両手が腰骨を抱き、浮き上がった股間に男根を押し当ててきた。

「いやぁあああああっ、いやっ、いやっ」

ズボっと入ってくる。木刀を突っ込まれたような不快さだ。

「どうだ。本番だよ、刑事さんっ。いくらやめろといわれても、みんな本番したがるんだよな」

ズコズコと抜き差しされた。脳が揺れた。

「オーナー、俺も混じっていいですか。久しぶりに燃えてきました」

流星が瞬く間にスーツを脱ぎ、素っ裸になった。

「さすが輪姦(りんかん)魔だな。こいや。二本刺しにしてしまおうぜ」

張がさらに肉を擦(こす)り立ててきた。

「はうっ、うぅうっ、止(や)めて、二本なんてむりっ」

泣いた。本気で泣いた。

「ここに二本挿入するわけじゃない。穴はふたつある。なぁ流星」

後ろで張の不気味な声がした。言われた途端に、尻穴が引き締まった。

「いやぁああ。そこはだめっ」

這って逃げようとした。懸命に這い、リュックに手を伸ばす。指先が届いたところで、尻穴がひやっとした。

「リシャールをサービスしてやる。急性アルコール中毒を起こすのに、安ウイスキーじゃ惨めすぎるものな」

どぼどぼとブランデーが入り込んできて直腸に逆流していく。じきに脈拍は早くなりだした。

尻から入るアルコールは口から飲むより百倍も効きが早いようだ。くらくらとしてきた。

「うぐっ」

そこにもう一本の男根が入ってきた。尻の上にふたりの男が乗っている。前方の流星がアヌスにずぽっと入れている。

そこは初めてだ。

「この女刑事さん、後ろは処女みたいっすよ」

流星が言っている。張が答える代わりに膣穴の方を抉ってくる。

ふざけないでっ。

洋子は吐きそうになるのを堪えて、膝に渾身の力を込めた。どうにかしてこのふたりを振り落として立ち上がるのだ。

そしてふたりとも出刃包丁で八つ裂きにしてやる。リュックに指を伸ばした。

＊

二階堂由美は相川将太と共に、花道通りを猛烈な勢いで走っていた。十分前に分室にいる小栗が異変を報せてきた。

今夜、突入するなんて聞いていない。

由美は一番街のバーで、黒崎加奈子と飲んでいた。まだセックス中毒から抜けきっていない加奈子をアテンドするように洋子から頼まれていたのだ。

相川は今夜に限ってサウナで、仕事上がりのホストたちが団欒(だんらん)している様子を偵察するように命じられていた。

ようするに私たちは外されていたのだ。

洋子のインカムの音声が途絶え、松重の断末魔のような声が小栗の前のスピーカーに飛び込んできたそうだ。

なんだか不吉な予感がした。

由美の胸に、洋子の笑顔が去来した。『純喫茶 芦沢』で一緒にケーキセットを食べた日の顔だ。笑顔だったが、やけに由美のことを心配してくれる姉のような眼差(まなざ)しだった。

真木姉さん！

人波を掻(か)き分けながら走った。

＊

「くっ」

洋子の指先が出刃包丁の柄を捉えた。尻と膣に二本の男根が突き刺さったままだった。

猛烈に抽送されていた。アルコールの直腸注入で脳は朦朧としている。それでも意識があるうちに自分でけりをつけたい。

リュックの中で出刃包丁の柄をしっかり握った。

張と流星は、男根を擦ることにむちゅうになっている。

真琴とミツルは松重の身体をドアに向かって引きずっていた。

皆殺しにしてやる。

洋子は出刃包丁を引き抜き、尻を思い切り跳ね上げた。

「おおっと」

流星の男根が抜けた。

「ゆらすなばかっ」

張も振り落ちた。

振り返りざまに洋子は、流星の首を斬りつけた。

「うわぁあああああああああっ」

デフォルメした劇画のように大量の血が噴き上がった。眼を開いたまま流星は絶命した。

「おいっ、何を持っているんだ」

張が目を剝き、後退った。皺袋がだらりと長く下がっている。

「地獄へおちてっ」

すぱっと皺玉に包丁を走らせた。

「えっ」

張が声をあげると同時に、すとんと皺袋が落ちる。

中に玉が入っているのかどうかは、見えなかったが、洋子は床に落ちた睾丸袋を踏みつぶしてやった。

「えっ、なんだ、おいっ、金玉がないじゃないか」

張が股間を見ながら呆けたように言う。受け入れきれず、脳のヒューズが飛んだようだ。

「オーナー！」

真琴が松重の腕から手を離し、すっ飛んできた。

洋子はカウンターの裏側に走った。すべての証拠を消す必要があった。当初の予定よりも派手にする。

真木洋子のラストショーを見せてやる。

カウンター下にある小さなガスコンロの栓を回した。ガスが噴き上がる。

「なにしやがる。爆発するぞっ」

ミツルがドアへと走った。その足首に向けて出刃包丁を投擲する。

「ぎゃっ」

アキレス腱に刺さった。ミツルは転倒したまま立てずにいる。

真琴がテーブルの上からバカラのデキャンタを取った。洋子は脱がされたレザーパンツの尻ポケットからオイルライターを取り出した。

かちっと蓋を開け、フリントホイールに親指をかける。

「やめろぉおおおおおお」

真琴が絶叫し失禁した。

「歌舞伎町ラストショーね。エブリバディ、バイバイ」

フリントホイールを回した。

ぼっと炎が上がると同時に、目の前もオレンジ色に染まり、自分の身体が猛烈な爆風に押された。

死の直前にはもっといろいろとこれまでの人生が走馬灯のように浮かぶものとば

かり思っていたが、そんなことはなかった。

あっけない。

すっと意識がなくなった。最後に脳に浮かんだのは、ロサンゼルス・ドジャースがワールドシリーズでチャンピオンになって、グラウンドで選手全員でトロフィを掲げている姿だった。

*

「あっ」

二階堂由美は万里ビルの五階の窓からオレンジ色の炎が吹き出すのを見た。爆風と共に、コンクリートの破片が降ってくる。

目の前を走っていた相川が突然、足を止めた。

イヤモニがガリガリといっていた。

「相川っ、二階堂っ、速やかにふたりの先輩を回収しろ。ビルの横に偽装した救急車を回す。本物の救急車が来る前にそれに乗せろ。いいな。すぐに背負ってくるんだ」

岡崎の声だった。

由美は走った。泣いている暇もない。

エレベーターは使わず外階段を上った。ガスが充満する『千の旋風』に飛び込んだ。噎せながら瓦礫の中から洋子を引き上げる。背負った。相川は松重を背負っている。

コンクリートの粉塵が舞う中を由美は、偉大な先輩を背負って下りた。

私が巨悪をぶっ潰してやる。

歯を食いしばって、階段を下りた。

あとがき

二〇一五年の二月に刊行された『処女刑事　歌舞伎町淫脈』から早いもので九年の歳月が流れました。

いくつもの幸運が重なり合い、第一巻は重版が連発されてなんと十刷まで膨れ上がり、僕の出世作となりました。

当初はシリーズ化など考えていなかったので、ヒロインの処女刑事をあっさり喪失させてしまったので、続編決定には焦ったものです。

「処女いなくなったじゃん」

「巻ごとにゲスト処女を作ってくださいっ」

と担当編集者のA。アップルパイを食べながらの打ち合わせです。ちなみに本作にショートケーキ、モンブラン、サバランなどのスイーツが登場するのは、僕は作家になってから酒を飲まなくなり、かわりにスイーツが好きになったからです。

担当Aも相当なスイーツ好きです。

中年と老人の男ふたりがカフェでスイーツを齧（かじ）りながら、ハードボイルドについて語り合っている姿は、正直読者には見せたくありませんね。

これを読んでいるあなた、えっ、『処女刑事』ハードボイルドなの？　っていま思ったでしょう。で、どこが？　って。

いやいや僕も担当Aもキレッキレのハードボイルド小説を作ろうと、常に打ち合わせているんですよ。カフェラテの泡を口に付けたままね。

で、出来上がった作品はハードボイルドじゃなくて、いつも半熟(ハーフ)ボイルドなわけです。

どこか緩い。

大藪春彦(おおやぶはるひこ)作品や西村寿行(にしむらじゅこう)作品に憧れて、そんな作品を書きたいと思いつつも僕の場合は、がっちりハードにならないんです。

これは作家として生まれ持った体質の違いですね。

僕の好きなのは、ぬるま湯とゆるい下り坂。上り坂や階段は避ける。

担当Aもどっかゆるい。

「沢里さん、キレッキレのバイオレンス作品を頼みますよ。笑かしてばかりいないで……」

そう言いながら笑う本人がスプーンを差し込んでいるのは、溶けかかったアイスクリームなわけです。だいたいラムレーズンアイス。

これ説得力ありませんね。見ていてぬるぬるしてきます。

それでも『処女刑事』シリーズは過去九作、巨悪と懸命に闘ってきています。

だいたい序盤の敵は売春組織だったり半グレ集団だったりするのですが、中盤から政治家や他国の工作機関など、権力者たちの陰謀が出てくるのがパターンです。

けれども作者の僕は、それらの悪に本当に怒りを込めて書いていたかといえば、そうではありません。揶揄（やゆ）です。

江戸の戯作者がそうであったように、声高に糾弾するのではなく、巨悪の黒幕たちをからかう。やーい、やーい、ばーか、あんたらだっせぇ、と揶揄（からか）う。

それが『処女刑事』でした。

どうもね、真っ向から悪と闘うとか苦手なんですよ。正義を振り翳（かざ）すのも照れくさい。

町の子はだいたいそんなもんじゃないかな。

ジェームズ・ボンドも遠山の金さんも斜めに構えているからいいのです。

ところがそんな僕も近頃のホスト狂い現象には、ちょっと目くじらを立てている。

このシステムは接客業として破綻していると感じています。

僕は、銀座や赤坂の高級クラブは知らないけど、約四十年、六本木のキャバで遊んできています。放蕩の限りを尽くしたけれど、気取って言えばそこには文化があった。

男と女の駆け引きの文化です。

社の経費での接待の場合は客単価五万円程度のキャバ。自費ではせいぜいが三万円程度。で、馴染（なじ）みが数人いて、アフターしたスナックでカラオケを歌い、嬢に帰りのタクシー代を渡しても十万はかからない。

そんな道楽でした。ホスクラはいまほど隆盛を極めていなかったけど、サパーがたくさんありました。ホストではなくサパオと呼ばれる連中が接待してくれる。客はほとんどが夜職。でも男の客も入れたものです。

アフターでよく行くサパーの店長と昵懇（じっこん）になり、さらにこの店長をまじえて別な店へアフターへ繰り出したりもしました。

サラリーマンとキャバ嬢とサパーの店長で、最後は吉野家でビールを飲みながらしみじみ語る。そんな時代に百万のボトルは高級クラブにしかありませんでした。ＯＬや女子大生と知って、三百万も使わせるサパーもホスクラも当時はなかったはずです。

オラオラ系のホストが五十万、百万単位で金を使わせるホスクラが台頭しだしたのは二〇〇〇年代の後半ごろではないでしょうか。そのあたりからホストのタイプは多様化して、金額はうなぎ上りとなり、一般人が到底払いきれない額が請求され、なおかつ風俗店を紹介される時代となったようです。

どう考えてもおかしくないか。これは飲食店でも接待業でもなく追剝業です。

僕は長らくレコード会社で働いていたので、芸能プロにも友人が沢山います。あるとき、芸能プロのマネージャーが育成中の新人がホス狂いになって風俗にいってしまったと嘆いていました。

新人の育成に芸能プロは少なくない資金を投入しています。売れるかどうかわからなくても、マネージャーが付き、レッスンを受けさせ、場合によっては家賃も負担しているのです。渡す出演料は些少でも、タレント本人には見えない経費が山のようにかかるのが、芸能プロなのですよ。

それを一瞬にしてかっ攫われたら？

本作に登場するマネージャー黒崎加奈子は、デフォルメした存在ですが、そのマネージャーの恨みを仮託しています。

芸能界では古くから恋愛と薬物は同じ毒、とされているのです。抑制が利かなくなるからですね。読者も聞いたことがあるでしょうがアイドルの『恋愛禁止』は、ファンを裏切らないためだけではなく、当人が狂わないための規制でもあるのです。

かつて芸能界の裏方のひとりだった立場だけの怒りではありません。

普通の爺(じじい)として由々しきことだと憂えてもいます。

あなたの娘がホス狂いになって、立ちんぼしていたらどうしますか？　疑似恋愛で廃人にされたらどうしますか？

自己責任で課金し続けている彼女たちを否定する方がおかしい、といったサブカルジャーナリズムの論調にも憤りを覚えます。

彼女たちはもともと居場所がなかった？

居場所がなかった彼女たちに与えた居場所が立ちんぼですか？　やっぱりおかしい。

都知事の小池百合子(こいけゆりこ)さん、自民党の高市早苗(たかいちさなえ)さん、三原じゅん子(みはらじゅんこ)さん、立憲民主党の蓮舫(れんほう)さん、辻元清美(つじもときよみ)さん、共産党の田村智子(たむらともこ)さん、みんな、ぜひ歌舞伎町のホスクラに行ってほしい。それだけでホスクラへの嫌がらせになる――などというつもりはありません。

国が滅びないためにも党派をこえてホスクラ対策の法改正、条例規制を検討していただきたいのです。

本作には、大人として、そしてかつての遊び人としての怒りを込めました。

ハードボイルドになったかどうかは確信をもてませんが、本気度を示すために、ヒロインを殉職させせました。そうでもしなければ一矢を報えない気がしたからです。

『処女刑事』は次作から新章にはいります。

二〇二四年三月　　沢里裕二

本書は書き下ろしです。

本作はフィクションであり、実在の個人・団体とは一切関係ありません。（編集部）

実業之日本社文庫　最新刊

田中啓文
若旦那は名探偵　七不思議なのに八つある
おもろい事件、あらへんか？　江戸の岡っ引きのもとで居候する大坂の道楽息子・伊太郎が驚きの名推理で犯人を追い詰める、人情&ユーモア時代ミステリ！
た66

堂場瞬一
大連合　堂場瞬一スポーツ小説コレクション
不祥事と交通事故。部員不足となって窮地に立つ、新潟県の二校の野球部が、連合チームを組んで甲子園をめざす！　胸熱の高校野球小説！（解説・沢井　史）
と119

葉月奏太
ぼくの女子マネージャー
ボクシング部員の陽太にとって、女子マネージャー亜美は憧れの女。強くなり、彼女に告白したいと練習に励むが…。涙と汗がきらめく青春ボクシング官能！
は617

東川篤哉
野球が好きすぎて
アリバイは、阪神VS.広島戦!?　野球ファンが起こした珍事件の行方は……プロ野球界で実際に起きた出来事を背景に描く、爆笑&共感必至の痛快ミステリ！
ひ44

南　英男
断罪犯　警視庁潜行捜査班シャドー
非合法捜査チーム「シャドー」の面々を嘲笑う〝断罪人〟からの謎の犯行声明！　美人検事殺害に続く標的は誰？　緊迫の傑作警察ハード・サスペンス長編!!
み735

睦月影郎
淫ら美人教師　蘭子の秘密
北関東の高校へ赴任した蘭子。担任するクラスには不良達がいて、襲いかかってくるが……。美人教師が秘められた能力で、生徒や教師を虜にする性春官能。
む220

渋沢栄一・著／奥野宣之・編訳
抄訳　渋沢栄一『至誠と努力』——人生と仕事、そして富についての私の考え
地方の農民の子→幕臣→官僚→頭取→日本資本主義の父。なぜ彼はこんな人生を歩めたのか？　史上最強のビジネスマン・渋沢栄一の思考法。（解説・北　康利）
し62

実業之日本社文庫　好評既刊

沢里裕二
処女刑事　歌舞伎町淫脈
純情美人刑事が歌舞伎町の巨悪に挑む。カラダを張った囮捜査で大ピンチ!! 団鬼六賞作家が描くハードボイルド・エロスの決定版。
さ31

沢里裕二
処女刑事　六本木vs歌舞伎町
現場で快感!? 危険な媚薬を捜査すると、半グレ集団、芸能事務所、大手企業へと事件がつながり、大抗争に！　大人気警察官能小説第2弾！
さ32

沢里裕二
処女刑事　大阪バイブレーション
急増する外国人売春婦と、謎のペンライト。純情ミニパトガールが事件に巻き込まれる。性活安全課は真実を探り、巨悪に挑む。警察官能小説の大本命！
さ33

沢里裕二
処女刑事　横浜セクシーゾーン
カジノ法案成立により、利権の奪い合いが激しい横浜。性活安全課の真木洋子らは集団売春が行われるという花火大会へ。シリーズ最高のスリルと興奮！
さ34

沢里裕二
処女刑事　札幌ピンクアウト
カメラマン指原茉莉が攫われた。芸能プロ、婚活会社、半グレ集団、ラーメン屋の白人店員……事件はつながっていく。ダントツ人気の警察官能小説、札幌上陸！
さ36

実業之日本社文庫　好評既刊

沢里裕二
極道刑事　東京ノワール
渋谷百軒店で関西極道の事務所が爆破された。カチコミをかけたのは関東舞闘会。奴らはただの極道ではなかった…。「処女刑事」著者の新シリーズ第二弾！
さ37

沢里裕二
極道刑事　ミッドナイトシャッフル
新宿歌舞伎町のソープランドが、カチコミをかけられた。襲撃したのは上野の組の者。裏には地面師たちのたくらみがあった!?　大人気シリーズ第3弾！
さ39

沢里裕二
極道刑事　キングメーカーの野望
政界と大手広告代理店が絡んだ汚職を暴くため、神野が闇処理に動くが……。風俗専門美人刑事は、体当たりの潜入捜査で真実を追う。人気シリーズ第4弾！
さ312

沢里裕二
極道刑事　地獄のロシアンルーレット
津軽海峡の真ん中で不審な動きをする黒い影。日本に特殊核爆破資材を持ち込もうとするロシア工作員と、それを阻止する関東舞闘会。人気沸騰の超警察小説！
さ317

沢里裕二
極道刑事　消えた情婦
組長の情婦・喜多川景子が消えた!?　景子は高速道路で玉突き事故に巻き込まれた直後、連絡が途絶える。隠された真実とは。作家デビュー10周年記念作品！
さ319

実業之日本社文庫　好評既刊

沢里裕二
アケマン　警視庁LSP明田真子
東京・晴海のマンション群で、演説中の女性都知事・桜川響子が襲撃された。LSP明田真子は身体を張って知事を護るが……。新時代セクシー&アクション！
さ3 13

沢里裕二
湘南桃色ハニー
ビールメーカーの飯島は、恋人を寝取られたことをきっかけに己の欲望に素直になり……。ビーチで絡み合う水着と身体が眩しい、真夏のエンタメ官能コメディ！
さ3 11

沢里裕二
桃色選挙
野球場でウグイス嬢をしていた春奈は、突然の依頼で市議会議員に立候補。セクシーさでは自信のある彼女はノーパンで選挙運動へ。果たして当選できるのか⁉
さ3 14

沢里裕二
処女総理
中林美香、37歳。記者から転身した1回生議員。彼女のもとにトラブルが押し寄せる。警護するのはSP真木洋子。前代未聞のポリティカル・セクシー小説！
さ3 15

草凪 優
黒闇
最底辺でもがき、苦しみ、前へ進み、堕ちていく不器用な男と女。官能小説界のトップランナーが、人間の性と生を描く、暗黒の恋愛小説。草凪優の最高傑作！
く6 6

実業之日本社文庫　好評既刊

葉月奏太
人妻合宿免許

独身中年・吉岡大吉は、配属変更で運転免許が必要になり合宿免許へ。色白の未亡人、セクシー美人教官、黒髪の人妻と……。心温まるほっこり官能！

は6 8

葉月奏太
盗撮コネクション　復讐代行屋・矢島香澄

洋品店の中年店主は、借金返済のためとそそのかされ、盗撮を行う。店主の妻は盗撮され、脅される。店主は自殺を決意し……。どんでん返し超官能サスペンス！

は6 9

葉月奏太
癒しの湯　若女将のおもてなし

雪深い山中で車が動かなくなったとき、助けてくれたのは美しい若女将。男湯に彼女が現れ……。心と身体が蕩ける極上の宿へようこそ。ほっこり官能の傑作！

は6 10

葉月奏太
寝取られた婚約者　復讐代行屋・矢島香澄

IT企業社長・羽田は罠にはめられ、彼女と会社を奪われる。香澄に依頼するも、暴力団組長ともうひとりの復讐代行屋が立ちはだかる。超官能サスペンス！

は6 11

葉月奏太
酒とバイクと愛しき女

友人の墓参りをかねて、20年ぶりにツーリングへ出かける。爽やかな北海道で亡き友の恋人や、素敵な女性たちに出会い……。ロードトリップ官能の傑作！

は6 13

実業之日本社文庫　好評既刊

南 英男
潜伏犯　捜査前線
三年前の凶悪事件捜査から浮かびあがる夫の事故死の真相とは!?　町田署刑事課のシングルマザー刑事・保科志帆の挑戦。警察ハード・サスペンス新シリーズ開幕！
み 7 30

南 英男
異常手口　捜査前線
猟奇殺人犯の正体は!?――警視庁町田署の女刑事・保科志帆は相棒になった元マル暴の有働力哉の強引な捜査に翻弄されて…。傑作警察ハードサスペンス。
み 7 31

南 英男
夜の罠　捜査前線
殺したのは俺じゃない！――元マル暴で警視庁捜査一課警部補の有働力哉が目覚めると、隣には女の全裸死体が。殺人容疑者となった有働に罠を掛けた黒幕は!?
み 7 32

南 英男
策略者　捜査前線
おまえを殺った奴は、おれが必ず取っ捕まえる！　歌舞伎町スナック店長殺しの裏に謎の女が―？　亡き親友に誓う弔い捜査！　警察ハード・サスペンス！
み 7 33

南 英男
警視庁潜行捜査班シャドー
殺人以外の違法捜査が黙認されている非合法の特殊チーム「シャドー」。監察官殺しの黒幕を突き止めるべくメンバーが始動するが……傑作警察サスペンス！
み 7 34

実業之日本社文庫 さ 3 20

処女刑事　新宿ラストソング

2024年6月15日　初版第1刷発行

著　者　沢里裕二

発行者　岩野裕一
発行所　株式会社実業之日本社
〒107-0062　東京都港区南青山6-6-22 emergence 2
電話［編集］03(6809)0473［販売］03(6809)0495
ホームページ　https://www.j-n.co.jp/
ＤＴＰ　ラッシュ
印刷所　大日本印刷株式会社
製本所　大日本印刷株式会社

フォーマットデザイン　鈴木正道（Suzuki Design）

ISBN978-4-408-55890-5（第二文芸）